性传播感染/生殖道感染
医疗和预防实践指南

Sexually Transmitted and Other Reproductive Tract Infections: A Guide to Essential Practice

世界卫生组织 编著

中国疾病预防控制中心

曾 光 主译

U0951978

参译人员

邵长庚 中国性病麻风病控制中心
苏晓红 中国性病麻风病控制中心
赵更力 北京大学妇儿保健研究中心
孙谨芳 中国疾病预防控制中心
文任乾 广东省计划生育科学技术研究所
彭 林 云南省计划生育科学技术研究所

中国协和医科大学出版社

图书在版编目(CIP)数据

性传播感染、生殖道感染医疗和预防实践指南/世界卫生组织编著 曾光主译.—北京：中国协和医科大学出版社，2005.9

书名原文：Sexually Transmitted and Other Repro ductive Tract Infections: A Guide to Essential Practice

ISBN 7-81072-713-3

Ⅰ.性... Ⅱ.曾... Ⅲ.①性病—防治—指南②泌尿生殖系统—感染—防治—指南 Ⅳ.①R759-62 ②R691.3-62

中国版本图书馆CIP数据核字(2005)第101241号

世界卫生组织2005年出版

Sexually Transmitted and Other Reproductive Tract Infections: A guide to essential practice

性传播感染/生殖道感染医疗和预防实践指南

编　著：世界卫生组织
主　译：曾　光
责任编辑：刘建春　包于忠

出版发行：中国协和医科大学出版社
（北京东单三条九号　邮编100730　电话65260378）
网　址：www.pumcp.com
经　销：新华书店总店北京发行所
印　刷：北京丽源印刷厂

开　本：889×1194毫米　1/16开
印　张：8.5
字　数：250千字
版　次：2005年9月第一版　2005年9月第一次印刷
印　数：1—5000
定　价：25.00元

ISBN 7-81072-713-3/R·706

（凡购本书，如有缺页、倒页、脱页及其他质量问题，由本社发行部调换）

致谢

该指南是世界卫生组织生殖健康研究部，家庭健康国际(美国)和人口理事会(美国)的“前沿”生殖健康项目共同完成。许多专家以提供咨询和回顾性评价的方式参与了此项工作。世界卫生组织衷心感谢技术审评小组成员的工作，他们是：Dinesh Agarwal，Kamal Alami，Adele Benzaken，Lalit Kumar Bhutani，Ward Cates，Anupong Chitwarakorn，Patricia Claeys，Gina Dallabetta，Patricia J. Garcia，David Grimes，Sarah Hawkes，Marie Laga，Gunta Lazdane，Philippe Mayaud，Andre Meheus，Linda Morison，Charles Morrison，Telma Queiroz，Laima Rudze，Moshira El－Shafei，Guida Silva，Jim Shelton，Marleen Temmerman，Johannes van Dam，Eddy van Dyck，Teodora Elvira Wi，和曾光(Guang Zeng)。

Richard Steen(特邀顾问)、Nathalie Broutet(世界卫生组织)和 Irina Yacobson(家庭健康国际)是该指南编写小组的核心人员，他们也是技术审评小组的带头人。

Ian Askew(“前沿”/人口理事会)、Nathalie Broutet(世界卫生组织)、Florence Carayon(家庭健康国际)、Saiqa Mullick(“前沿”/人口理事会)和 Robert Rice(家庭健康国际)参与该指南的编写。

fhi Family Health International

Population Council
FRONTIERS

世界卫生组织衷心感谢众多评价者的贡献，他们为指南在巴西、中国、牙买加、肯尼亚和拉脱维亚的试验提供了帮助。

该出版物受到以下组织的资助：避孕技术研究协议，项目编号：96－05 CCP－A－00－95－00022－02；家庭健康国际和生殖健康合作协议“前沿”，项目编号：HRN－A－009800012－00；美国国际开发署的人口理事会。指南内容不一定代表家庭健康国际或美国国际开发署的观点和政策。

译者前言

生殖道感染包括内源性感染、性传播感染和医源性感染三类，三类间既有差别又有联系，反映了不同的传播途径和感染方式。在贫困地区，生殖道感染及其并发症是育龄妇女和围生期孕产妇发病和死亡的主要原因之一。此外，生殖道感染及其并发症可导致不孕、异位妊娠、早产、死产和流产等不良结局，可增加罹患宫颈癌和HIV传播的危险。艾滋病作为后果最为严重的性传播感染，更必须认真对待。需指出，无论是社会，还是个人，对生殖道感染潜在的歧视和恐惧，使得人们承受疾病痛苦之时，也给心灵蒙上了一层阴影。

生殖道感染具有患病率高、无症状比例高、不就诊的比例高和得不到合理治疗比例高等特点。如何充分利用现有的医疗资源，开展生殖道感染防治？如何在卫生和计划生育两个相关领域已开展合作基础之上，进一步实施行之有效的生殖道感染干预？如何将生殖道感染的一级预防和二三级预防有机地结合起来？以及如何将生殖道感染防治与医务工作者例行的工作相结合？本《指南》能为我们回答上述问题提供极大帮助。

世界卫生组织2005年出版的《性传播感染/生殖道感染医疗和预防实践指南》一书，具有里程碑的意义。它以循证为基础，由多国生殖健康专家根据世界各地最佳的生殖道感染防治实践活动合力编撰而成，旨在为不同医疗条件下的医务人员提供可行和科学的生殖道感染防治建议。此书可以作为医务人员日常工作中生殖道感染防治参考手册，也可作为医务工作者岗前和继续教育的培训材料。生殖健康项目人员亦可将它作为项目的参考书。

世界卫生组织授权中国疾病预防控制中心翻译和出版这本书的中文版。在此过程中，卫生部基妇司和计生委科技司都给予了我们很大的支持和帮助。在此对他们表示衷心的感谢。希望通过我们的努力为我国的生殖道感染防治奉献微薄之力。同时，虽经过多名专家的翻译和校对，但由于时间所限，难免出现疏漏，希望广大同仁和读者批评指正。

曾　光

2005年6月23日

缩 略 语

AIDS	acquired immunodeficiency syndrome 获得性免疫缺陷综合征
BV	bacterial vaginosis 细菌性阴道病
CA	candiasis，yeast infection 念珠菌感染，酵母菌感染
CO_2	carbon dioxide 二氧化碳
CRP	C – reactive protein C 反应蛋白
EC	emergency contraception 紧急避孕
ELISA	enzyme – linked immunosorbent assay 酶联免疫吸附试验
Endo	endogenous 内源性
FP	family planning 计划生育
FTA – Abs	fluorescent Treponema antibody absorption test 荧光密螺旋体抗体吸收试验
GNID	gram – negative intracellular diplococci 细胞内革兰阴性双球菌
GUD	genital ulcer disease 生殖器溃疡
HBV	hepatitis B virus 乙型肝炎病毒
HIV	human immunodeficiency virus 人类免疫缺陷病毒
HLD	high level disinfection 高水平消毒
HPV	human papilloma virus 人乳头状瘤病毒
HSV	herpes simplex virus 单纯疱疹病毒
Iatro	iatrogenic 医源性
IB	inguinal bubo 腹股沟淋巴结炎
IM	intramuscular 肌内注射
IU	international units 国际单位
IUD	intrauterine device 宫内节育器
IV	intravenous 静脉注射
LGV	lymphogranuloma venereum 性病性淋巴肉芽肿
MCH	maternal and child health 妇幼保健
MEC	medical eligibility criteria 医疗适用标准
MHA – TP	microhaemagglutination assay for antibodies to Treponema pallidum 梅毒螺旋体抗体微量血球凝集试验
MTCT	mother – to – child transmission 母婴传播
MVA	manual vacuum aspiration 人工负压吸引
PCR	polymerase chain reaction 聚合酶链反应
PEP	postexposure prophylaxis 接触后预防
PID	pelvic inflammatory disease 盆腔炎

ROM	rupture of membranes　胎膜破裂
RPR	rapid plasma reagin　快速血浆反应素
RTI	reproductive tract infection(s)　生殖道感染
STI	sexually transmitted infection(s)　性传播感染
TPHA	Treponema pallidum haemagglutination test　梅毒螺旋体血球凝集试验
TV	Trichimonas vaginalis　阴道毛滴虫
UTI	urinary tract infection　尿路感染
VCT	voluntary counseling and testing　自愿咨询和检测
VDRL	venereal disease research laboratory　性病研究实验室
WBC	white blood cells　白细胞
WHO	World Health Organization　世界卫生组织

前　言

本指南旨在有限的医疗条件下，帮助医务工作者与项目管理者进行性传播感染/生殖道感染防治，满足受生殖道感染威胁人群的需求。

本指南适合没有性传播感染/生殖道感染防治方面的经验、但具备了基础临床知识的人员使用，诸如药物知识等。

来自很多国家的生殖道感染专家参与了这本指南的编写工作。他们在对指南进行评审和讨论的过程中，以循证为基础，根据最佳实践活动和良好的公共卫生结果，提出 STI/RTI 防治建议。此外，为确保这些建议在世界各国不同的医疗条件下均可行，在指南出版之前，一些国家的医务工作者和项目管理人员对指南又进行了全面的评审。最后，于巴西、中国、肯尼亚、牙买加和拉脱维亚这五个国家进行了指南推广前的预试验。

本指南有两个配套文件。一个文件是《性传播感染处理指南》，依据世界各国流行病学监测数据和相关证据编写而成，内容涉及 STI 患者的病征处理和具体 STI 病种的治疗。另外，也包括性伴通知和管理、儿童与青少年 STI 防治等方面的内容。

另外一个文件是正在制订中的《性传播与其他生殖道感染：基本实践手册》，该手册概述了 STI/RTI 的处理流程图、治疗表、咨询要点等基本信息，并方便使用者携带。它可以作为医生日常工作的手册。

关于本指南

生殖健康服务机构(计划生育以及妇幼保健等机构)的医务工作者是本指南的使用者，并且，该指南以这些机构的“传统”顾客——女性，作为指南的核心对象。与男性不同，女性很少因 STI 到性病门诊就诊，并且感染后常常无症状，而生殖保健服务提供者可能是她们与医疗系统间联系的惟一纽带。同时，指南也考虑到了男性和青少年的需求，以期通过 STI/RTI 外展和预防服务，获得理想的公共卫生结果。

除必要时提及作为参考，本指南并未大量涉及关于人类免疫缺陷病毒(HIV)感染的内容。从技术角度讲，HIV 感染虽然是一种 STI 但不属于 RTI。乙肝和丙肝也为虽属 STI 却非 RTI 的例子。如需进一步了解 HIV 感染的知识，可参阅《附录五：其他资料与推荐读物》，或访问世界卫生组织 HIV/AIDS 网站：http：//www. who. int/HIV 进行查询。

本指南可用作一本参考手册和教育材料，同时它还可提示医务工作者在为病人提供其他生殖健康服务时考虑 STI/RTI 的防治问题。其中针对可能罹患 RTI 的人群提出了防治建议。本指南也可用作医务工作者岗前和继续教育的培训材料，以及医务人员自学 RTI 预防、治疗和诊断的工具。

项目管理人员可将本指南作为改善 STI/RTI 相关政策、开展 STI/RTI 防治培训和开展相关项目的一个基点，因地制宜地加以应用。①

本指南的内容根据“就诊原因”进行分类。鼓励医务人员在工作中考虑 STI/RTI 感染的可能性，向病人提供预防方面的咨询与教育，并给予必要的治疗。根据其日常工作的需要，医务人员可使用指南的全部内容，或选用其中的一部分。

① 世界卫生组织目前正在编制针对项目管理者的指南。

术 语 说 明

并非所有性传播感染都属于生殖道感染，也不是所有的生殖道感染均由性途径传播。“STI”强调疾病的传播途径，而“RTI”侧重感染发生的部位。

RTI是个广义的概念，它既包括STI也包括其他不通过性途径传播的RTI，但鉴于STI是RTI疾患中后果最为严重的一类，所以本指南中使用“STI/RTI”这一术语来强调STI在RTI中的突出地位。当文中提到的概念仅是指性传播感染时，单独使用“STI”一词。

本指南的结构

本指南分为三部分：

• **第一部分**是关于STI/RTI及其并发症的疾病负担、传播和管理方面的背景信息。这一部分包括了第二和第三部分中具体STI/RTI防治措施的公共卫生背景知识，并回顾了医务人员STI/RTI防治服务所需的基本技能。

• **第二部分**为如何将STI/RTI作为整个生殖健康服务的一个完整的部分进行考虑，其中包含了在孕期、产后和计划生育常规服务中降低感染风险、发现感染和预防并发症等方面的信息。此外还提及了男性与青少年的STI/RTI防治问题，两者均属不常使用生殖健康服务的人群。

• **第三部分**为STI/RTI的处理——如何诊断与治疗STI/RTI，这部分以“解决问题”为导向，便于读者可快速获取信息。其中，也提到了生殖健康门诊中可能遇到的具体问题和处理方法。

每一章的开头部分是对该章内容的一个概述。指南中提及的**重要决策步骤**在文中都进行了解释，大部分推荐内容以**流程图和表格**的形式给出。流程图有助于简化复杂的问题并提供标准化的STI/RTI处理方法。但是要注意，**没有任何流程图可以涵盖全部的临床问题**，医务人员应知道何时去寻求流程图之外的其他帮助。尽管这一指南可以帮助医务人员有效地处理与STI/RTI相关问题，但需知在实践中学习的重要性。

减少 STI/RTI 的 20 个步骤

第一步	提高对 STI/RTI 及其后果的认识——不孕、流产、产妇死亡及 HIV/AIDS
第二步	做好准备，让 STI/RTI 患者就诊时感觉舒适
第三步	改善服务。设法使男性参与到 STI 预防工作中来；确保青年人了解生殖健康服务机构并在使用服务时不会感到不适；将易感人群纳入 STI/RTI 防治工作作为社区内控制 STI 传播的最佳途径之一
第四步	提供安全套、推广安全套使用、开展关于减少性伴数量或推迟首次性行为时间的咨询，以达到降低 STI 感染风险的目的
第五步	安全实施各种经宫颈的手术操作，防止医源性感染的发生
第六步	向妇女介绍预防内源性感染的简单方法
第七步	考虑病人感染 STI/RTI 的风险，提供防治建议
第八步	在每次计划生育检查或产前检查时提供 STI/RTI 预防咨询，并询问有无 STI/RTI 症状；每次因其他原因进行检查时都注意是否有 STI/RTI 感染的体征
第九步	进行梅毒筛查，抓住一切机会筛查其他 STI/RTI
第十步	注意不要在诊断尚不明确时，将病人归为某类 STI 患者
第十一步	向所有病人提供 STI/RTI 预防教育
第十二步	向 STI/RTI 病人提供治疗依从性的教育，并通知其性伴接受治疗
第十三步	学习如何向病人提供咨询，支持病人改变行为
第十四步	提供 STI/RTI 防治与避孕的双重保护
第十五步	鼓励及早到产前门诊就诊；提供 STI/RTI 咨询，确保安全妊娠
第十六步	孕妇每次妊娠应接受至少一次的梅毒筛查，确保筛查阳性的孕妇（及其性伴）都得到治疗
第十七步	为被强奸的女性提供紧急避孕和 STI 预防性治疗，有条件的还应进行 HIV 接触后预防
第十八步	运用病征流程图有效地进行 STI/RTI 的病征处理，有条件的要进行实验室诊断
第十九步	若某一 RTI 可能通过性途径传播，应向该病人的性伴提供治疗，但若情况不确定，则应谨慎地向病人及其性伴提供咨询
第二十步	治疗上生殖道感染——特别是流产后和产后感染，强化治疗，保护妇女的生命，保障其生育能力

目　　录

第一部分　STI/RTI 基本知识

第二部分　改善 STI/RTI 防治服务

第三部分 STI/RTI 管理

第一部分 STI/RTI 基本知识

第一部分概述了 STI/RTI 及其并发症的基础知识，包括 STI/RTI 的传播和处理。此外还回顾了医务人员在 STI/RTI 防治中所需的基本技能与知识。

第二部分概述了在生殖健康服务中 STI/RTI 的处理经验。此外还提及了接近男性、青少年和其他不常使用生殖健康服务人群的方法。

第三部分涉及 STI/RTI 的处理——如何诊断与治疗 STI/RTI，包括流程图和治疗表。这部分以“解决问题”为导向进行编写，以便读者快速获取信息。

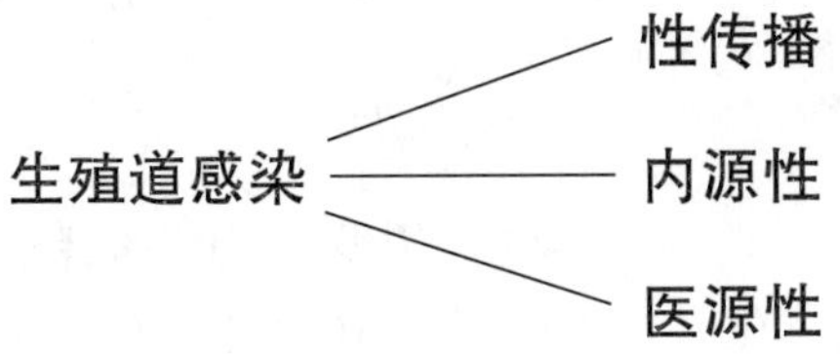

第一章　男性与女性生殖道感染及其后果

要　点

● 生殖道感染(RTI)是原本正常存在于生殖道的微生物，或经性接触或医疗操作过程中由外界进入生殖道的微生物引起的。RTI 可分为**内源性感染、性传播感染(STI)和医源性感染**，三种不同分类间既有差别也有交叉，反映了不同的感染途径和传播方式。

● 每年有超过 3.4 亿的人罹患可治愈的 STI，另外还有更多的人感染了难以治愈的 STI。而在妇女中，非性传播的 RTI 更为常见。

● STI/RTI 是**围生期孕产妇疾病和死亡**最重要的原因之一。STI/RTI 可发生严重的并发症，如异位妊娠、盆腔炎、早产、流产、死产、先天性感染，这些可引起慢性失能(如不孕、生殖系统癌等)，甚至死亡。除此之外，STI/RTI 还可增加 HIV/AIDS 的感染风险。

● 减轻 RTI 的疾病负担需要医疗机构与社区的共同努力。

● 医务工作者进行有效的**预防与病例处理**可降低 STI/RTI 的疾病负担。有效的治疗可减少 STI 在社区内的传播，安全适宜的临床操作可减少医源性感染。

● 推进 STI/RTI 的预防工作，增强医疗资源利用率，以及进一步减少疾病在社区内的传播都需要**社区健康教育与外展服务**。

什么是 RTI?

生殖道感染即生殖道发生的感染，男女均可患病。有些 RTI 是通过**性途径传播的**(如梅毒和淋病)，但也有很多不通过性传播。女性阴道内正常的内源性微生物过度生长可能引起 RTI(如酵母菌感染和细菌性阴道病)。在医疗操作过程中可能发生医源性感染——阴道内的正常内源性微生物或存于宫颈的经性传播的微生物可能在经宫颈手术操作中被带入上生殖道，而引起子宫、输卵管或其他盆腔器官的严重感染。如果消毒措施不严格，体外的微生物也可在医疗操作中被带入上生殖道。而在男性当中，性传播感染要比内源性或医源性感染多见。

本指南涵盖三类感染的原因：

- 生殖健康医疗服务中，需要一整套 STI/RTI 常规处理方法。
- 各类 STI/RTI 的临床表现有很多重叠之处，这种情况在女性中尤其常见。病人的症状和临床体征酷似，区分性传播和非性传播 RTI 颇为困难。
- 在产前和计划生育门诊等生殖健康医疗机构，非性传播的 RTI 比 STI 更为常见。这需要医务人员针对不同的疾病有不同的处理方法。医务人员应当认识到这一点：将某病症归为性途径传播可能并不准确，而且会给患病夫妇带来严重的社会影响。

表 1.1 STI/RTI 的分类

	来 源	传播方式	常见疾病
内源性感染	阴道内的正常微生物	通常不传染，微生物过量繁殖可引起症状	酵母菌感染，细菌性阴道病
性传播感染	感染 STI 的性伴	与已感染 STI 的性伴有性接触	淋病、衣原体感染、梅毒、软下疳、滴虫病、生殖器疱疹、生殖器疣和 HIV 感染
医源性感染	体内或体外： • 内源性（阴道） • STI（宫颈或阴道） • 体外污染	于孕期、分娩和产后期检查或在计划生育（例如，放置 IUD）和妇科门诊操作中，通过宫颈将微生物带入上生殖道，进而引起子宫、输卵管或其他盆腔器官的严重感染 若感染控制措施不当，可经不洁的注射器或子宫探子等器械传播	人工流产或经宫颈手术操作后的盆腔炎症，以及孕期与产后期的感染并发症

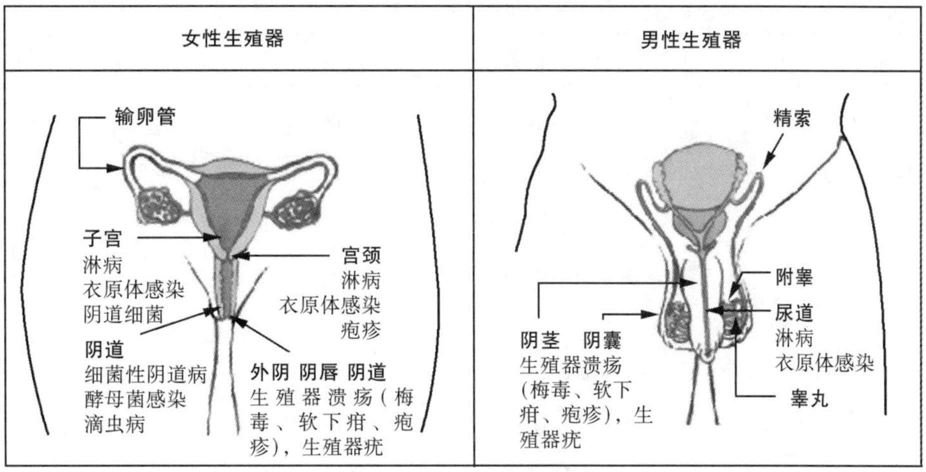

图 1.1　感染部位

STI/RTI 为什么重要?

STI/RTI 常见

全球疾病负担中相当大比例都来自于 STI/RTI。据世界卫生组织估计，1999 年四大可治愈 STI(淋病、衣原体感染、梅毒、滴虫病)的新发病例超过 3.4 亿。若将人乳头状瘤病毒(HPV)、单纯疱疹病毒(HSV)以及 HIV 等病毒性 STI 也纳入其中，这一数字可能还要增加三倍，而在女性中，非性传播的 RTI 更为普遍。

框 1.1　STI/RTI 发生的地区

STI/RTI 全球均有发现，但在某些地区更为常见，其传播与流行(普遍的程度)受到社会、经济、生物和行为等方面的影响。因此，在不同的地区和社区间，STI/RTI 所造成的疾病负担差异很大。而在 STI/RTI 流行的地方，疾病的并发症也相当常见。

- 在人群混杂、外来劳工者聚集和商业性行为活跃的地区，梅毒、淋病和软下疳等 STI 传播较快。
- 在 STI 流行、医务人员未接受安全操作培训或不具备安全操作条件的地区，医源性感染更为常见。而在缺乏安全医疗服务和随访保健的地区，产后感染与流产后感染更为常见。
- 酵母菌感染和细菌性阴道病等内源性感染在全世界都十分常见，并受到环境、卫生条件和内分泌等因素的影响。

STI 与 RTI 之间的差别

表 1.2 列举了一些主要由生殖道感染引起的常见病征。其中有的感染是通过性传播的，有的则不是；有的感染通过抗生素或其他药物就容易治愈，有的则无法治愈。认识到这些不同，向生殖道感染病人提供有效的治疗是十分重要的。表中未纳入 HIV 感染或乙肝等这一类不与某一特定病征相关联的 STI。

表 1.2 常见 STI/RTI 病征

病 征	STI/RTI	病 原 体	种 类	是否性传播	是否可治愈
生殖器溃疡	梅毒	苍白螺旋体	细菌	是	是
	软下疳	杜克雷嗜血杆菌	细菌	是	是
	疱疹	单纯疱疹病毒 2 型	病毒	是	否
	腹股沟肉芽肿（杜诺凡病）	肉芽肿克雷白菌属	细菌	是	是
	性病性淋巴肉芽肿	沙眼衣原体	细菌	是	是
分泌物异常	细菌性阴道病	多种微生物	细菌	否	是
	酵母菌感染	白色念珠菌	真菌	否	是
	淋病	淋球菌	细菌	是	是
	衣原体感染	沙眼衣原体	细菌	是	是
	滴虫病	阴道毛滴虫	原生动物	是	是
其他	生殖器疣	人乳头瘤病毒	病毒	是	否

STI/RTI 可引起严重的健康问题

STI/RTI 对生殖健康的影响十分严重甚至威胁生命，包括盆腔炎、不孕(男女均有可能)、异位妊娠以及流产、死产、早产和先天感染等不良妊娠结局。此外，STI/RTI 还会增加 HIV 传播的风险(RTI 并发症的完整列表见附件五)。

大多数 STI/RTI 既能累及男性也能累及女性，但对女性的影响更严重(框 1.2)。事实上，在全球的贫困地区，STI/RTI 及其并发症是女性**疾病与死亡的最重要原因之一**。据估计，每年因怀孕期 RTI 感染(流产后感染与产后感染)并发症的死亡就占 50 万死亡病例中的 1/3，而这些可预防的疾病大多数都集中在低收入人群(表 1.3)。

STI/RTI 也可引起不良的妊娠结局。内源性或性传播感染的微生物可引起胎盘或羊膜腔内感染[绒(毛)膜羊膜炎]，这是孕晚期自然流产和死产的主要原因。感染也可导致胎膜早破和早产，而由梅毒、淋病、衣原体感染、单纯疱疹病毒、乙肝和 HIV 造成的**先天感染**可引起新生儿失明、失能甚至死亡。

框 1.2　女性上生殖道感染的并发症

1. **盆腔炎**：女性下生殖道(宫颈或阴道)感染或外来微生物累及上生殖道(子宫、输卵管、卵巢及周围组织)可引起极其严重的后果。感染可能转化为全身性感染并威胁生命，由此造成的组织损伤和瘢痕可引起不孕、慢性盆腔痛，并增加异位妊娠的风险。

2. 上生殖道感染可能在任何时候发生，但尤易发生于分娩或流产后的女性。**流产和产后感染并发症**是产妇死亡的主要原因，但大多数并发症是可预防的。

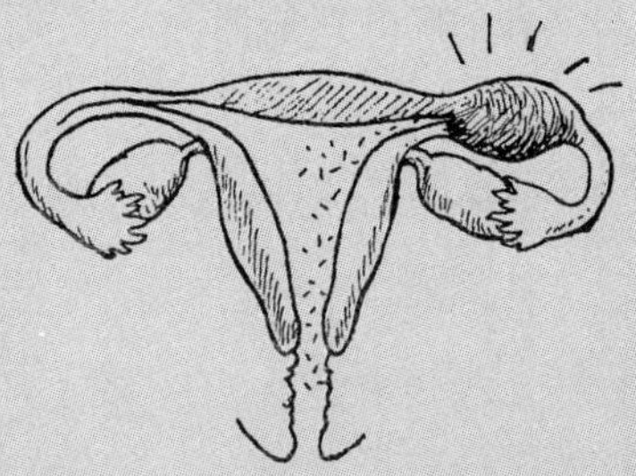

3. 没有得到治疗的女性盆腔炎以及男性附睾炎和尿道瘢痕均可引起**不孕**。事实上，在许多地区，可避免的**不孕**是最重要的 RTI 并发症。习惯性流产和死产常由梅毒等 RTI 引起，也是不孕的重要原因。

4. 盆腔炎可诱发输卵管发生完全或部分瘢痕或阻塞。部分阻塞的病人仍可受精，受精卵在输卵管或子宫外其他部位着床即**异位妊娠**发生的风险较高。在 STI/RTI 和盆腔炎流行地区，流产和产后感染并发症以及异位妊娠破裂是孕妇死亡的常见原因，但这是可被预防的。

表 1.3　上生殖道感染和并发症的危险因素和疾病负担

疾病或并发症	危险因素	资源贫乏社区的状况
宫颈感染	宫颈淋病或衣原体感染可上行至上生殖道；经宫颈手术操作可增加上行性感染的危险	低收入社区淋病和衣原体感染比高收入社区要高 10~100 倍
盆腔炎	估计 8%~10%衣原体感染和 8%~20%淋病会发展成盆腔炎	估计因盆腔感染的妇科入院率：非洲为 17%~40%，东南亚为 15%~37%
流产后感染	估计 10%~23%衣原体感染的女性和 15%患有淋病的女性不安全流产后会发生上生殖道感染	发展中地区 7%~29%的产妇死亡由不安全流产后感染引起。
产后感染	若分娩过程中无异物进入阴道，则正常分娩罕有感染	发展中国家阴道分娩后的感染为发达国家的 10 倍；高达 30%的产妇死亡源于产后感染
不孕	不孕风险：盆腔炎发作 1 次后为 15%~25%，发作 3 次后为 50%~60%。未进行抗生素治疗时发生率更高	大多数不孕与感染有关
异位妊娠	患有盆腔炎妇女的异位妊娠危险要高于正常人 6~10 倍	非洲每出生 1000 名活产儿，异位妊娠发生达 32 例

其他 STI/RTI 也可造成严重甚至是致命的后果。**宫颈癌**是女性癌症死亡的首要原因之一，人乳头瘤病毒中的几种亚型可以大大增加罹患宫颈癌的危险。**AIDS** 是 **HIV 感染**的结果，而 HIV 可通过性途径传播，且在患有其他 STI/RTI 时尤其易于传播和感染 HIV(框 1.3)。在很多 HIV 高流行地区，可治愈的 STI/RTI 患病率也相当高。

框 1.3　STI/RTI 与性传播 HIV

HIV 与其他 STI 的传播方式相同，通过预防 STI 也能起到预防经性途径传播 HIV 的作用。

对 STI 的有效治疗可减少生殖器分泌物中 HIV 的病毒数量，从而降低 HIV 传播的可能性。

很多 STI/RTI 都能增加感染或传播 HIV 的风险——例如，当患有生殖器溃疡时，每次性接触时感染的率会增加 50～300 倍。在患有 STI/RTI 时，HIV 传染的可能性更大，这是由于：

- HIV 病毒可轻易穿过生殖器溃疡所造成的皮肤或粘膜伤口。
- HIV 病毒可吸附在生殖器分泌物中大量的白细胞上。
- 当患有某些 STI 时，病人的溃疡与生殖液(精液、宫颈分泌物)中会出现大量的 HIV 病毒。

如何应对 RTI?

STI/RTI 引起的大多数严重健康问题都是可以预防的。与防治条件差、社会秩序混乱或 STI/RTI 服务不能覆盖高危人群的社区相比，STI/RTI 防治服务条件较好的社区 STI/RTI 及其并发症的发生率较低。要减少 STI/RTI 的疾病负担不能仅针对病人个人。STI/RTI 是在社区范围内传播的，而将干预局限于临床医疗服务机构将会带来很多问题。框 1.4 列举了一些在社区水平上 STI/RTI 防治的主要障碍以及应对措施。

框 1.4　社区水平上 STI/RTI 的防治

问　　题	应对措施
贫困和劳动力输出而致分居，导致高危性行为。	出台相关经济与社会政策，减少分居，降低感染风险与易感性。
女性的社会地位低下，经济能力受限，女性可能通过出卖性换取金钱和其他收益，从而导致高危性行为的发生；地位的低下也决定了在决策和性伴协商能力上的劣势。	向女性提供教育和就业的机会，减少性工作的经济吸引力，增强女性权利，减少性传播的危险。
落后的医疗条件不能提供行之有效的 STI/RTI 防治服务。	改善医疗服务，提高 STI/RTI 防治水平。
医疗服务的可及性差。	降低医疗收费、缩短地理距离、延长工作时间、缩短候诊时间等障碍，提供更好的医疗服务。
医疗服务利用率差（求医行为差）。	提高对 STI/RTI 症状和并发症的认识，推广更好的医疗服务，说服更多的人接受它。

针对这些社会因素，采取相应对策后，STI/RTI 的流行与传播在一些国家得到了控制。泰国在商业性工作者中间推广安全套使用和加强 STI 治疗，将常见 STI 的发病率降低了 90%以上(框 1.5)。在提供有效 STI/RTI 防治服务的国家中，由分娩和流产并发症引起的产妇死亡明显减少。在其他国家，生殖健康疾病的发病率和死亡率使 STI/RTI 的预防成为公共卫生领域的重点。

框 1.5　泰国：有效的 STI 控制与 HIV 预防

鉴于 20 世纪 80 年代后期 HIV 的高速增长，泰国采取了一系列措施来减少经性途径 HIV 和其他 STI 的传播。以商业性网络为重点，安全套使用得到了强有力的推广，STI 的诊断与治疗也得到了加强。5 年之内，商业性工作者自报的安全套使用率由 14%上升到了 94%，STI 发病率不断降低(图 1.2)。在此期间，高危人群与孕产妇中的 HIV 流行也呈现下降趋势(图中未示)。政府的承诺以及针对 STI 高发人群的战略规划都是泰国成功的重要因素。

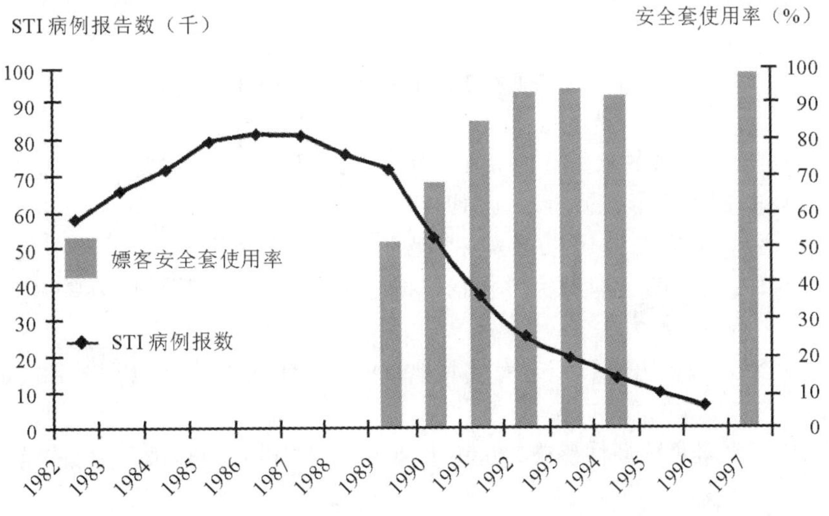

来源：泰国卫生部流行病学处哨点监测资料

图 1.2　嫖客安全套使用率与 STI 病例报告数——泰国

临床服务在减少 STI/RTI 疾病负担中的作用

提供有效的 STI/RTI 服务仍存在许多挑战(图 1.3)。由于感染后无症状或症状轻微，或者并未意识到受到了感染，很多 STI/RTI 患者并不就医。另外一些出现症状的感染者则倾向于自我医疗，到药店买药或寻求民间疗法。即使到门诊就诊，也可能得不到正确的诊断和治疗，结果导致仅有少部分的 STI/RTI 患者康复，并且不发生再感染。本指南的目的就是要增加这部分患者的比例。

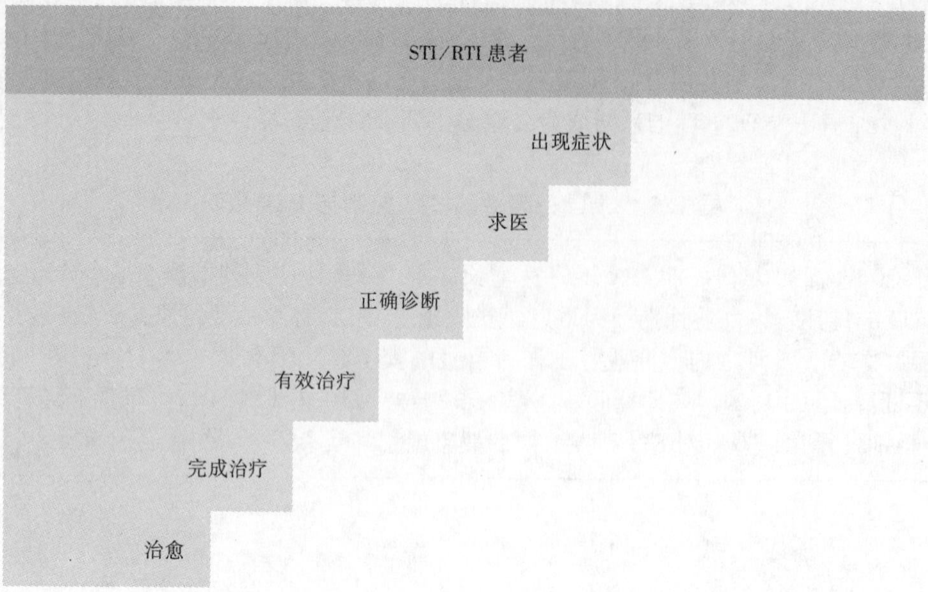

图 1.3 提供 STI/RTI 服务面临的挑战

通过采取各种措施可改善患者的求医行为，发现并处理出现的感染。因此，医务人员应：

- 提高社区对 STI/RTI 及其预防的认识，尤其针对高危人群。
- **推动早期就诊**，治愈 STI/RTI，预防并发症。教育人们如何辨识症状以及何时求医。
- 向病人提供咨询时，**推广安全性行为**，包括坚持使用安全套，减少性伴数量和推迟首次性行为的时间。
- **发现**不明显的**感染**。病人出于计划生育或其他目的及 STI/RTI 症状时，医务人员注意有无 STI/RTI 体征，可能时进行无症状感染的筛查。
- 遵循全面防护要求，**避免医源性感染**，运用无菌技术，在进行经宫颈手术操作前先排除或治疗宫颈感染。
- 有效**处理有症状** STI/RTI **患者**。依照病征处理原则进行 STI/RTI 病例处理。
- **向病人提供**治疗后避免再次感染的**咨询**，强调治疗依从性的重要性，在性伴通知和性伴治疗方面提供支持，并加强预防。

STI/RTI 防治服务绝不是生殖健康机构中可有可无的部分。1994 年在埃及开罗召开的世界人口与发展大会着重强调了在计划生育服务中提供临床服务减少 STI 对于保障未来生育健康的重要性。很明显，我们有机会将服务普及到那些只通过生殖健康服务接触医疗服务的妇女，而这些妇女大都处于性活跃期，其中很多人都受到感染的威胁，有的甚至已经患病。

有效的社区干预和临床服务相结合的战略将会对 STI/RTI 及其并发症的防治产生巨大的影响。质量更高的临床服务将会使得更多患者得以治愈；更有效的社区预防，尤其当预防工作普及到高危人群时，将减轻 STI/RTI 总的疾病负担。上述二者结合的策略将使所有人受益。

生殖道感染——性传播
生殖道感染——内源性
生殖道感染——医源性

第二章 预防 STI/RTI 及其并发症

要 点

● 对 STI/RTI 的综合预防应包括预防 STI、医源性感染和内源性感染几方面。

● 对 STI 的预防在于**减少暴露**、使用安全套以及减少性伴数量。预防 STI 要**坚持正确地使用安全套**。

● 青少年应该得到**推迟首次性行为时间**所需的帮助和支持。

● 通过好的**感染控制**措施可降低医源性感染的风险。

● 在 STI 流行地区，如不能排除宫颈感染的可能性，可通过进行**宫颈感染全程抗生素治疗**来降低经宫颈手术操作引起医源性感染并发症的风险。

如第一章所述，STI/RTI可通过以下几个途径传播：

- **性传播**——很多RTI都可通过性途径传播。社区中传染速率越快，并发症也就越多。
- **与医疗操作有关的STI/RTI**——STI/RTI及其并发症可由孕期、产时、产后、计划生育(如放置宫内节育器)和妇科检查中的不当医疗操作引起。
- **内源性感染**——阴道内的正常菌群过量繁殖后也可引起RTI，这类RTI亦可引发并发症。

为了最大限度地减少STI/RTI及其并发症的发生，我们应采取以下几方面的措施。

预防STI的方法

最好的STI预防方法是避免接触。在STI的一级预防方面：

- 推迟首次性行为的时间(针对青少年)
- 减少性伴数量
- 坚持正确使用安全套

STI的预防还包括对STI的**早期发现和有效治疗**，这样不仅可以降低病人发生并发症的几率，还可预防社区内的新发感染。病程越短，感染他人的机会越小。

推迟首次性行为的时间

青少年时期容易发生STI与早孕。通过将首次性行为的时间推迟到较大的年龄，青少年就可避免STI和早孕。这对少女尤为重要，因为一旦发生早孕或感染STI，将会给她们带来十分严重的不良健康后果和社会影响。少女对宫颈感染尤为敏感，这些感染可以导致盆腔炎、不孕和异位妊娠。如果他(她)们决定发生性行为，应获得怀孕和STI预防方面的支持和保密信息，包括安全套的使用。

减少性伴数量

限制性伴的数量利于减少对STI的暴露。比如，维持一夫一妻制生活的人(即双方均没有其他性伴)在双方均无感染的情况下，也就不存在感染的危险。但是，很多一夫一妻制终生只有一个性伴的妇女也感染了STI，这不是她们自己的问题，感染的危险来自于性伴的行为。禁欲是预防STI的另一种手段(尽管仍然有发生其他RTI的可能)。

对很多人而言，真正需要的不是一夫一妻制或者禁欲，而是其他防治方法。当他们一个接一个更换配偶时(“序列一夫一妻制”)，一夫一妻的生活也就无法为他们提供什么STI保护了。长期分居的夫妻也需要其他方法，如果丈夫或妻子的职业使他(她)们常常出门在外，比如外出打工者、商贩、卡车司机和军人等，就有可能出现多性伴的情况，并在回家时已感染STI。无论是在何种背景下，有多性伴的男性或女性，或其性伴有多性伴时，都需要其他可靠的STI防护措施。

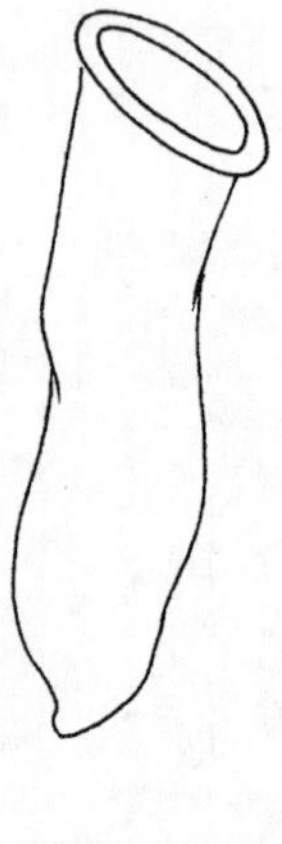

坚持正确使用安全套

安全套是目前所有方法中，最可靠的预防自身或性伴感染STI的方法。只要使用正确，安全套可以成为抵御最小细菌或病毒的屏障。

男用乳胶安全套使用面广，价格便宜且十分有效。由于携带方便，男用安全套可以在任何时候提供安全保护。其正确的使用方法：

- 在每次插入式性交前戴上安全套(图2.1)

- 射精后将阴茎拔出(阴茎仍勃起的状态下)，以避免安全套在阴道内滑脱
- 每次性交都应使用新的安全套

但是即使使用了安全套仍有感染 STI 的可能。生殖器溃疡或生殖器疣可通过未被安全套覆盖的其他部位发生接触传染。但是更常见的是，很多人感染 STI，是由于他们安全套使用不正确或没有坚持使用。当携带或保存不当时，比如装在钱夹里或放在高温环境中，再或与油性润滑剂一起使用，安全套就可能失效。通常，安全套破裂并非产品本身的问题，而是由于使用不当所引起。

最为重要的是，只有持续正确地使用安全套才能起到预防 STI 的作用。**每次性交都正确地使用安全套可以很大程度上起到避孕和预防 STI 的作用(双重保护作用)，包括预防 HIV 感染**。第四章中介绍了关于如何与性伴协商使用安全套的方法。

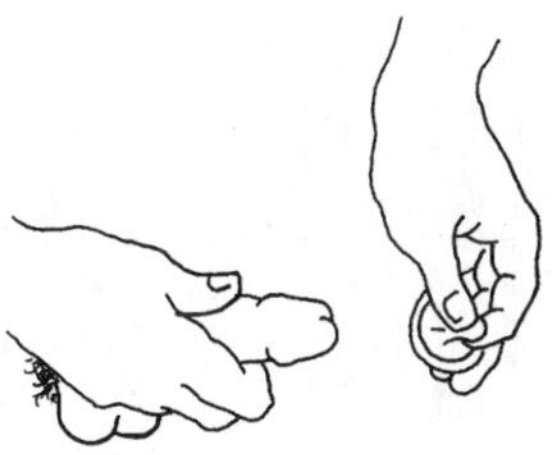	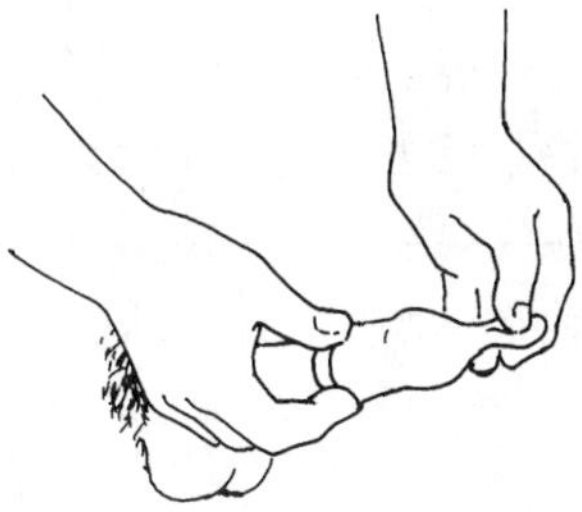
1. 从包装中将安全套小心地取出，注意避免弄破安全套	2. 将安全套顶部的空气挤出
	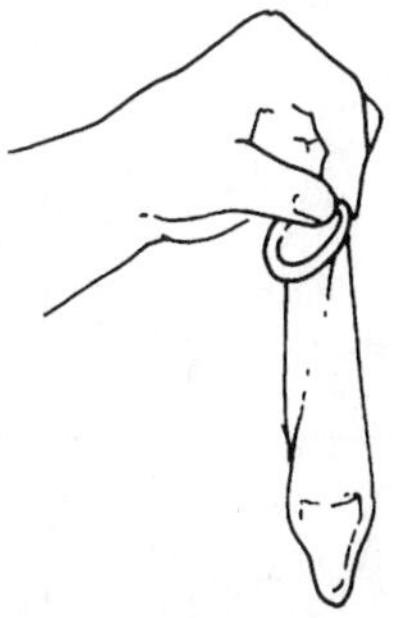
3. 将安全套展开，套在勃起的阴茎上	4. 射精后，在阴茎仍处于勃起状态时将阴茎自阴道内抽出，抽出时握住安全套的边缘以防安全套滑落或精液流入阴道
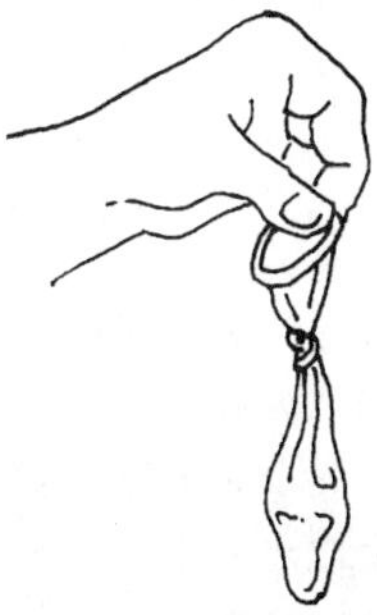	
5. 将安全套从阴茎上取下，在上面打个结以防精液漏出。然后将安全套进行适当处理(丢弃到不会产生危险的地方)	

图 2.1　男用安全套使用说明

女用安全套(图 2.2)正得到越来越广泛地使用，与男用安全套相比，女性更易控制其使用。目前市场上有一种女用安全套出售，品牌众多。其原料是比乳胶更坚韧的聚氨酯塑料。女用安全套只有一种尺寸，安放也不需要专业的医务人员进行。与男用乳胶安全套在油性润滑剂中易破损不同，女用安全套可与任何一种润滑剂一起使用，而强度不受到任何影响。它本身已加有润滑剂，但使用者还可加入更多的润滑剂。

女用安全套的保护效果与男用安全套相似，但是价格更贵。有研究表明，女性及其男性性伴均可接受女用安全套。

尽管有诸多便处，女用安全套也存在问题。女用安全套在阴道外有突出部分，男方可以接受才行。另外，女用安全套不能与男用的安全套一起使用，这意味着当男用安全套破裂或滑脱时，女用安全套不能提供后备的保护。

其他预防 STI 的女性可控措施仍在研发之中。正在进行杀菌剂(能杀死 RTI 致病微生物的化学制剂)以及子宫帽等其他屏蔽防治措施，关于预防 STI/HIV 感染安全性和有效性方面的试验。但是，这些方法所提供的保护都不能达到男用安全套的防护水平。

女用安全套柔软宽松，两端各有一个有弹性的聚氨酯环。封闭的内环可放入女性阴道内，开口的外环在性交时留在阴道外，并覆盖住女性的外生殖器	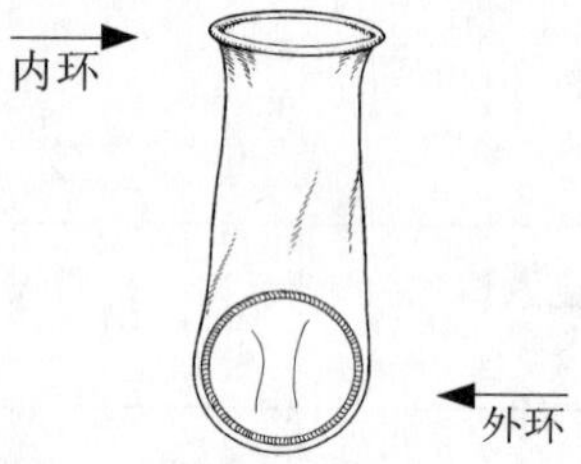	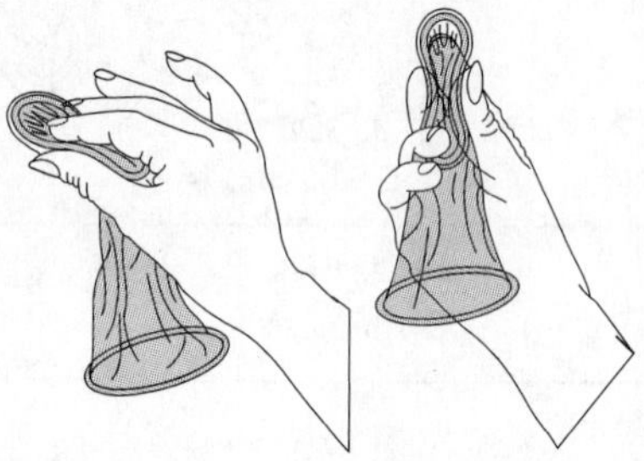
	1. 从包装内取出安全套，用两根手指揉捏确保润滑液在套内分布均匀；若需更多的润滑剂，可将安全套包装内的备用润滑剂挤两滴到套中	2. 将安全套的封闭端放入阴道内。用拇指和中指捏住内环(封闭端)，然后将内环放入阴道
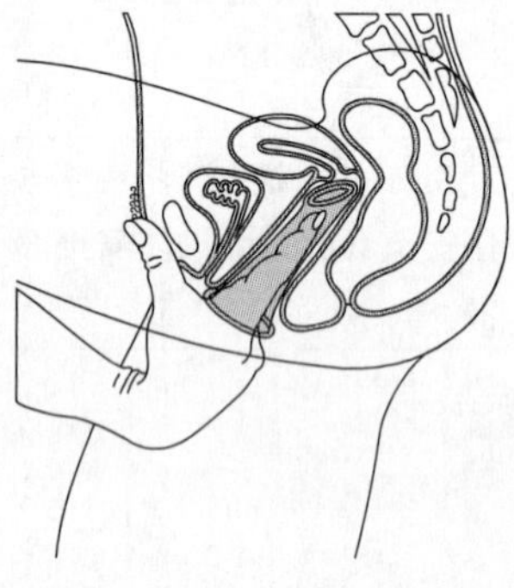	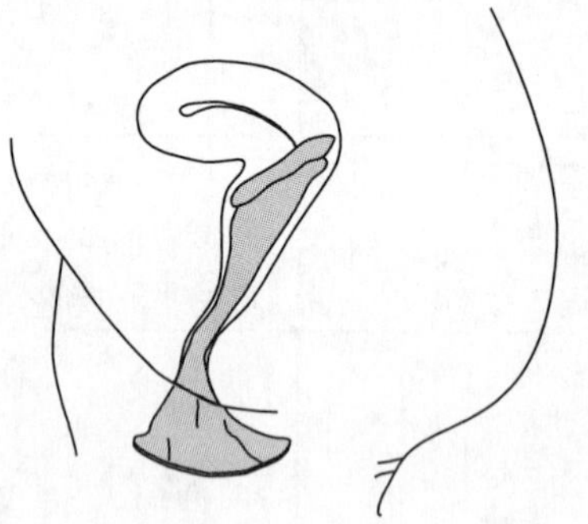	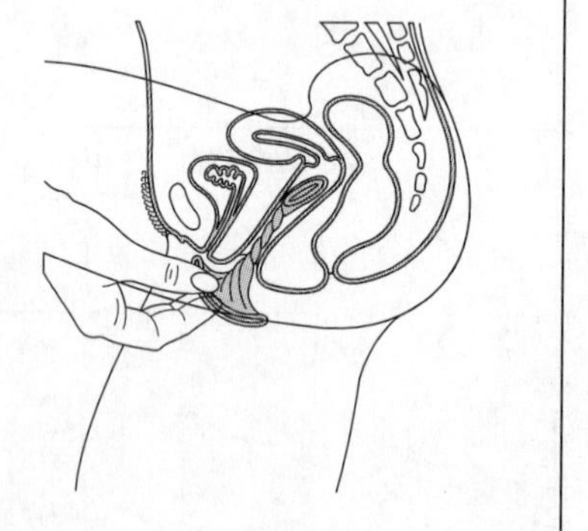
3. 用示指将安全套尽量往阴道内推。当摸不到安全套时即放置到位了。 不必担心，安全套不会被推得太里面。	4. 将安全套开口端的环留在阴道外，并盖住阴唇(阴道的外口部)。注意不要让安全套扭曲。性交时，可引导阴茎进入女用安全套内。须知如果不引导阴茎进入，阴茎可能在套外进入阴道内，这样将起不到任何保护作用	5. 性交后可随时取下安全套。如果处在躺卧状态，注意在站起前将安全套取下以免精液流出。从阴道取出安全套之前，扭住安全套，以防精液外流 适当处理安全套(丢弃在不会引起危险的地方)。安全套不可重复使用

图 2.2　女用安全套使用说明

预防医源性感染的方法

如第一章所述，当体内或体外微生物，经性或其他途径进入上生殖道时，就会引起许多 STI/RTI 并发症。预防不孕和异位妊娠等 STI/RTI 并发症最有效的方法就是避免上生殖道感染的发生(表 2.1)。包括：

- STI 预防与处理(第二章、第八章)
- 良好的产前保健和安全的分娩操作(第七章、第九章)
- 安全的经宫颈手术操作(第二章)
- 良好的流产后保健和并发症处理(第九章)

减少 STI/RTI 传播或避免已有的感染扩散至子宫是预防并发症发生的关键。在大多数时间，宫颈黏液相当于一层厚屏障，病菌难以从中穿过。但是淋病、衣原体感染等 STI 却可以在行经期或接受经宫颈手术操作时从宫颈扩散到子宫内。阴道内或由体外进入的非性传播致病微生物一旦进入子宫也可引起盆腔炎。

表 2.1　预防上生殖道感染、不孕与异位妊娠

干预措施	预防感染与并发症的方法
STI 的预防	**提供咨询：** • 推迟开始性行为的时间 • 减少性伴数量 • 坚持正确使用安全套
STI 的处理	STI 的早期**发现与治疗**
安全分娩操作	**使用**无菌技术 有效**处理**产后感染
安全经宫颈手术操作	**使用**无菌技术 操作前**排除**感染
流产后保健	**使用**无菌技术 有效**处理**流产后感染

安全的经宫颈手术操作

通过宫颈进行的医疗操作(经宫颈手术操作)，手术工具可能将感染带入到子宫内。人工负压吸引、扩宫术、刮宫术、放置宫内节育器和子宫内膜活检等都属于此类操作。根据 STI 流行状况、资源以及操作具体环境的不同，经宫颈手术操作引起感染的风险也有很大的差异。在宫颈感染患病率低的医疗环境中进行操作，引起上生殖道感染的危险也就比较小。

但是，宫颈本身就存在淋球菌或沙眼衣原体等病原微生物的妇女，与未感染这些病原体的妇女相比，经宫颈手术操作中发生上生殖道感染的危险就要大得多。

通过以下方法可减少经宫颈手术操作引起的上生殖道感染：

- 采用适宜的无菌技术
- 治疗已发生的宫颈感染

降低感染风险

临床实践

采用适宜的无菌技术(框 2.1)可避免感染的传播

框 2.1　经宫颈手术操作的无菌技术

- 洗手
- 在操作过程中、处理污染的废物或使用过的器械时都要戴上手套
- 对所有器械进行去污、清洗和高水平消毒处理(如窥阴器、宫颈钳、镊子和子宫探子)。将器械置于加盖容器中用沸水煮 20 分钟进行高水平消毒。
- 用消毒液清洗阴道和宫颈。
- 采用“不接触”技术，避免子宫探子或其他工具接触到阴道壁或扩阴器上。

消毒与防护详见附件 2。

宫颈感染的治疗

尽管预防感染措施可以减小微生物由外界进入体内的可能性，但这些措施并不能避免经宫颈手术操作中，将已有的淋菌或衣原体带入子宫。当宫颈感染存在时，消毒后的器械也会在通过宫颈内膜时被污染，并将病原体带入上生殖道。

最安全的方法是，在每次经宫颈手术操作前，排除或治疗一切可能的宫颈感染(见第三章和附件一)。要强调的是某些女性宫颈感染后是无症状的。在条件较差，但宫颈感染流行状况并不严重时，医务人员可以依靠临床表现判断感染是否存在。但是，如果条件不好，宫颈感染流行状况严重，并且医务人员无法排除感染时，那么就应该考虑使用治疗剂量的抗生素(假设治疗)对淋病和衣原体感染进行治疗(表 2.2)。

表 2.2　淋病和衣原体感染的抗生素推荐疗法

应用范围	首选[a] 从下两项（两种药物）中各选择一种	有效的替代品[c]
淋病	单剂口服**头孢克肟** 400mg，或肌注**头孢曲松** 125 ~ 250mg 淋病其他替代治疗方案见第八章治疗表 2	单剂口服**环丙沙星**[c] 500mg，或肌注**大观霉素** 2g
衣原体感染	口服**多西环素** 7 天，每天两次，每次 100mg，或单剂口服**阿奇霉素**[b] 1g	口服**氧氟沙星**[c] 7 天，每天两次，每次 300mg，或口服**四环素** 7 天，每天 4 次，每次 500mg

a 多剂治疗可能出现用药依从性差问题，故在可进行单剂给药时宜单剂治疗。

b 阿奇霉素 1g 单剂疗法可治愈 90% 以上由淋病或衣原体导致的宫颈感染，合用另一治疗淋病的药物可将治愈率提高到将近 100%。

c 在 WHO 东南亚和西太平洋地区等地使用喹诺酮时，需考虑淋球菌的耐药性。

在接受经宫颈手术操作后的几个星期内，如果患者出现发烧、下腹疼痛、阴道分泌物异常等可疑感染症状，应立刻向医务人员咨询。

预防剂量的抗生素治疗（手术前 1 小时口服 100mg 多西环素，并于手术后口服 200mg 多西环素）可降低由人工流产引起的感染发生率。无论 STI 流行状况是否严重，所有接受人工流产手术的妇女都应进行这一治疗。但是，在宫内节育器安置术中使用这一预防治疗无明显效果，因此不建议在这类手术中使用。

注：实验室筛查 STI 对安全有效地使用宫内节育器有重要的作用，但是，是否进行实验室检查应同时考虑到公共卫生和医疗服务环境。不进行实验室检查所带来的风险和采用宫内节育器避孕的益处需要进行权衡。

预防内源性感染的方法

酵母菌感染与细菌性阴道病都是常见的内源性感染，这两种感染易治愈（见第八章）但均易复发。医务人员应认识到：

- 孕妇与口服避孕药避孕的妇女由于阴道酸碱度（pH 值）的变化常常发生酵母菌感染。
- 长期应用类固醇激素和某些疾病（如糖尿病）可增加酵母菌感染的危险。

酵母菌感染后复发可能是影响免疫力疾病的征兆（如长期慢性病或 HIV 感染），这种情况比较少见。但应在伴有其他症状时加以考虑。单纯的酵母菌感染很常见，防治也很容易。

医务人员可向患者提供的预防内源性感染的简单方法：

- 阴道冲洗可以破坏阴道内的正常菌群，造成其他微生物的过量繁殖（细菌性阴道病）。应避免使用清洁剂、消毒剂、干燥剂或阴道冲洗。用肥皂水清洗外阴已足以起到清洁卫生的作用。
- 抗生素也可破坏阴道内的正常菌群造成酵母菌的过度生长。服用抗生素的妇女，尤其是长期服用广谱抗生素的妇女，可能需要酵母菌感染治疗。

生殖道感染 —— 性传播
生殖道感染 —— 内源性
生殖道感染 —— 医源性

第三章　STI/RTI 的检查

要　点

- 医务人员应了解如何识别 STI/RTI 的体征、症状或感染危险。
- **梅毒**筛查是行之有效的预防先天性梅毒的方法，也是产前保健的基本组成部分。
- 除梅毒外，有自然流产、死产或早产史的妇女还应筛查**细菌性阴道病**和**滴虫病**。
- 应抓住每一次检查的机会，发现有无**宫颈感染**，有条件的还要进行实验室检查。
- 40 岁左右的女性应接受至少一次的宫颈抹片检查，以利于宫颈癌的**早期发现**。
- 在 HIV 感染流行地区应进行 HIV 自愿咨询检测

有的 STI/RTI 患者出现症状后会去就医，而有的患者并非如此(图 3.1)。识别症状和及早求医是减少 STI/RTI 疾病负担的重要途径。

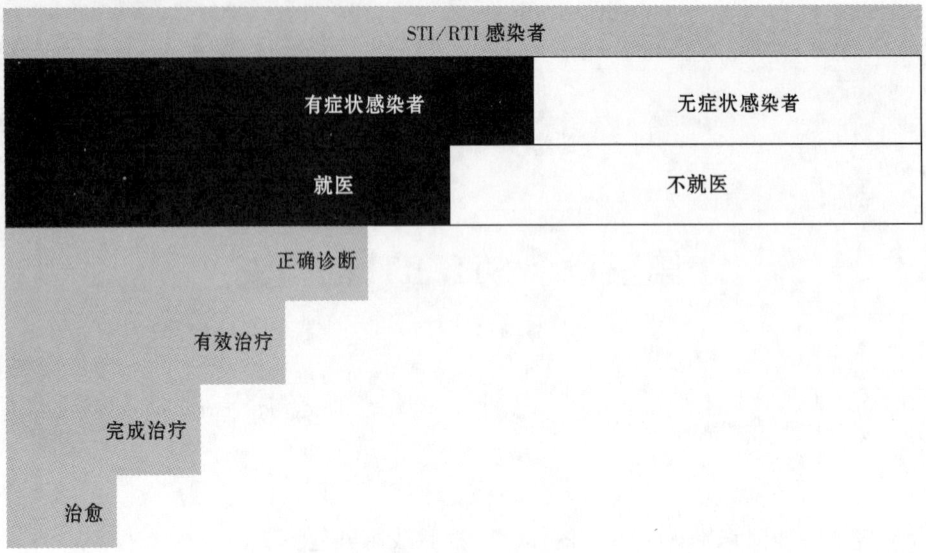

图 3.1　控制 STI/RTI 的障碍——发现 STI/RTI 感染者

很多感染 STI/RTI 的男性和女性都不表现出症状，或仅出现轻微的症状。这些人可能因其他原因到门诊就医，或者根本就不就医，但是，发现与治疗这些感染者可以防止并发症的发生并有利于减少感染在社区中的传播。

在女性中，无症状感染可能比有症状感染的危害更大。梅毒、淋病和衣原体感染都可造成严重后果，但是常常不表现出症状(见第 1 章)。盆腔炎也常常只出现很轻微的症状或者没有症状。

生殖健康服务在发现无症状感染中起着很重要的作用。由于很多妇女都会到生殖健康门诊接受计划生育、产前服务和产后检查，这为识别和治疗 STI/RTI 感染者提供了机会。本章介绍了一些在因其他原因到生殖健康门诊就诊的女性中，识别 STI/RTI 的方法，具体内容见表 3.1 和表 3.2。

在条件允许的情况下，生殖健康服务应当覆盖男性。与女性相比，男性感染后出现症状的可能性更大，但也可能出现无症状感染。而当症状不严重时，男性常常将其忽略。医务人员可提高男性对症状的认识，并鼓励他们一旦出现症状，就应接受检查。关于男性与女性检查的信息详见附录一。

表 3.1　STI/RTI 检出与治疗对策举例

方　法	举例——抓住一切机会
病史采集	每次生殖健康检查时，询问是否有 STI/RTI 症状或 STI/RTI 感染的顾虑
临床筛查	使用阴道窥器和双合诊寻找患者未注意到的体征
实验室筛查	梅毒血清学筛查 宫颈抹片及早发现宫颈癌 HIV 自愿咨询检测
基于风险评估后的推定治疗	STI 患者的性伴、有过无保护性接触的性工作者等 性暴力的受害者 接受经宫颈手术操作的妇女
综合干预措施	首次检查时对性工作者进行推定治疗，以后定期做阴道窥器/双合诊检查和宫颈抹片检查

有的生殖健康机构具有筛查 STI/RTI 无症状感染的条件。以“健康女性门诊”为例，其服务内容包括阴道窥器和双合诊检查发现是否存有宫颈感染或盆腔炎，发现早期宫颈癌的宫颈抹片检查，或针对梅毒和淋病的筛查。即使在不具备这些条件的地方，STI/RTI 的检查和治疗也可以在不增加过多成本和投入的情况下得以进行。实施一套**“抓住一切机会”**的方法(表 3.1)，可使医务人员在进行其他检查时，寻找 STI/RTI 感染的证据。

表 3.2 给出了更多关于常见筛查试验的信息。梅毒检查、淋球菌培养与宫颈抹片可检出 80% 以上的无症状感染。其他检查可能发现的无症状感染较少，但只要医务人员了解其局限性，仍然可以发挥作用。譬如，阴道窥器检查可以检出 40% ~60% 的宫颈感染患者，这比完全不查要有意义得多。

本章余下部分将介绍关于具体的 STI/RTI 检查方法。

在 STI/RTI 筛查和预防治疗中应牢记几个重要问题：因为其他原因到门诊就诊的妇女很可能没有心理准备被告知自己受到了某种感染，尤其是性传播感染。如果还被告知需要通知自己的性伴，这会使她们更加不安。遇到这种情况，医务工作者应小心处理，避免失去患者的信任或有损门诊在社区的声誉；要谨记的是，没有任何的筛查试验是百分之百准确的，很多筛查试验的准确度并不高。应认识到出错的可能性并将这种情况告知患者；最重要的是，在情况尚不确定时，医务人员应避免将病人的问题归结为 STI。更为谨慎、也是通常更为病人与其性伴接受的做法是：向他们解释很多症状是非特异性的，向患者提供治疗的目的在于预防并发症、保护生育能力以及正常妊娠。以上咨询和其他问题详见第四章，关于性伴通知和治疗的内容详见第八章。

表 3.2　女性 STI/RTI 筛查项目举例

感染/疾病	筛查方法	每百例检出数[c]	注释
梅毒	非梅毒螺旋体特异性血清学筛查试验[a]	80 ~ 86（一期感染） 100（二期感染） 80（潜伏感染） 71 ~ 73（晚期）	阳性结果表明感染梅毒的可能性大，但不一定是当前的、活动性感染。阳性结果患者应接受治疗。有条件的还可做梅毒螺旋体特异性试验进行确认
宫颈感染（淋病和/或衣原体感染）	淋球菌培养	95	结果准确，要求实验室配有 CO_2 瓶、孵箱和培养基
	衣原体试验[b]	60 ~ 70	昂贵、遗漏病例多（假阴性）
	衣原体 PCR	95	极其昂贵，高科技试验
	临床检查	30 ~ 40	便宜，遗漏病例多（假阴性）
宫颈发育异常	宫颈抹片	80	宫颈癌早期发现与预防

a RPR（快速血浆反应素）和 VDRL（性病研究实验室）试验。

b 如 ELISA（酶联免疫吸附试验）或直接免疫荧光试验。

c 于理想条件下得到，并取决于疾病的阶段。现场操作中检出数通常较低。

梅毒

虽然经济有效的梅毒诊治技术已在孕妇中得以普遍推广，但在世界很多地区，梅毒仍旧是围产期疾病与死亡的首要原因。据估计，若孕妇不在早期治疗梅毒，约有 2/3 都会出现流产、死胎或新生儿感染。

筛查指征与时机

- 孕期：梅毒筛查应在**首次产前检查**时进行，**时间应尽可能早**。有条件的，可在妊娠末三月再进行一次筛查，以检查孕期感染
- 未到产前门诊就诊的妇女应在分娩时接受检查。虽然这不能避免先天梅毒，但有利于新生儿早期诊断与治疗
- 发生过自然流产或死产的妇女也应进行梅毒筛查；在很多地区，确诊与治疗梅毒是消除不良妊娠结局的一个重要因素
- 除生殖器溃疡之外，有其他 STI 病征的男性和女性都应进行梅毒筛查。对有溃疡的患者应进行梅毒与软下疳的治疗，而无需进行筛查。
- 性工作者应每 6 个月进行一次梅毒筛查

鉴于梅毒在孕期并发症的严重性，首先应确保产前筛查的大规模进行。

现有的筛查工具

- 非梅毒螺旋体试验是梅毒筛查时的首选试验，如快速血浆反应素(RPR)和性病研究实验室(VDRL)试验。RPR 试验时可不用显微镜(参见附录三)。这些试验可检出几乎所有的早期梅毒病例，但可能有假阳性(表 3.2)
- 如条件允许，梅毒螺旋体试验(如梅毒螺旋体血球凝集试验—TPHA)可用以确证非梅毒螺旋体试验的结果(参见附录三)。
- 定量(RPR)效价可帮助评估治疗效果(参见附录三)。

注：不能进行附加试验时，所有 RPR 或 VDRL 试验阳性的患者均应进行治疗。

建议

梅毒筛查应选在可使尽可能多的患者现场拿到检查结果并接受治疗的地方。最理想的是：

- 患者应在离开门诊前拿到检查结果。
- 阳性结果的患者应立即治疗(见第八章治疗表 5)。
- 应询问每位患者有无青霉素过敏史(有效替代药物见第八章治疗表 5)。
- 性伴也需接受治疗。

孕期梅毒筛查是基于第一次产前门诊血清检查基础之上的(如可能，在妊娠末 3 月再进行一次检查)。在对性伴的咨询中，应强调 STI/RTI 防治在保障健康妊娠中的重要性。已证明在现场当日进行梅毒筛查与治疗可使获得有效治疗的妇女数量大量增加，并减少先天性梅毒的发病率(框 3.1)。

框 3.1　改善产前梅毒筛查的益处

> 在赞比亚，尽管先天梅毒发病率很高且 90% 以上的妇女都到产前门诊就诊，但是仅有不到 30% 的妇女接受了梅毒筛查，而在接受检查的妇女当中，也仅有不到 1/3 的血清反应阳性者得到治疗。同样的问题在肯尼亚的内罗毕也存在。在这两地相关服务得到改善，提供了当日检查与治疗之后，内罗毕梅毒阳性妇女接受治疗的比例上升至 92%，而这些妇女的性伴有 50% 都得到了治疗。在赞比亚，预防项目使孕期梅毒并发症的比例减少了 2/3。

如果已在产前门诊内**建立了梅毒筛查项目**，应定期进行评估，来估计受检、诊断并接受有效治疗的妇女比例。通过门诊每月的就诊记录，可简单的计算出两个指标：

$$筛查覆盖率=\frac{受检孕妇数}{首次到产前门诊就诊的孕妇数}$$

$$治疗覆盖率=\frac{接受治疗的RPR阳性妇女人数}{RPR阳性妇女人数}$$

治疗覆盖率 = 接受治疗的 RPR 阳性妇女人数 RPR 阳性妇女人数

如果梅毒筛查项目进展不顺利，应积极解决所出现的问题。框 3.2 比较了理想的梅毒筛查与可能发生的实际情况，列出了一些解决的办法。

框 3.2　改善产前梅毒筛查

问题	理想情况——实际情况	可能的解决办法
产前门诊服务利用率低	孕妇应在妊娠初期到产前门诊就诊——但由于产前门诊保密性差或没能得到有效推广，孕妇未就诊。	推广产前门诊早期就诊；努力提高服务的可接受性和可及性；提高社区内妇女寻求筛查与其他卫生服务的能力。
不能进行有效的筛查	门诊医务人员应在取血后将血样送往实验室进行检查——但由于缺乏监督机制，组织工作差，无法送检，或缺少注射器及其他障碍，未采血和送检。	加强对医务人员的培训，建立监督和激励机制；加强所需物资的库存管理与安排工作。
检查结果滞后	实验室人员应进行筛查试验并将结果告知门诊医务人员——但由于实验室人员认为自身工作已十分繁重，筛查不是本职工作的一部分，而未进行。	加强与实验室工作人员的合作；提高“一站式”现场的检验能力。
筛查服务利用率低	受检妇女应在第二次产前检查时拿到检查结果——但由于门诊管理差，受检妇女拿不到结果。	改善产前门诊医疗体系；督促孕妇及早到产前门诊就诊并在医生建议下复诊。
服务质量差	门诊医务人员应提供梅毒治疗、性伴通知和健康教育——但由于药品供应不到位、性禁忌以及工作量大而没有时间逐一对每个受检者开展上述活动。	为医务人员提供 STI/RTI 和性方面的培训；增加门诊医务人员，满足工作需要；改善物资库存管理，保障物资供应。

改编自：Dallabetta G，Laga M，Lamptey P. Control of sexually tramsmitted diseases: a handbook for the design and management of programs. Arlington，VA，Family Health International，1996.

阴道感染

阴道感染(**酵母菌感染、细菌性阴道病和滴虫病**)在育龄妇女中极为常见。患者感染后，几乎都会出现症状但很少引起并发症。

非孕妇女无需接受无症状阴道感染的检查。在仅有显微镜检查结果的情况下，不应对无症状的酵母菌感染或细菌性阴道病感染者进行治疗。

但是，孕妇感染细菌性阴道病和滴虫病后，可引发分娩前胎膜破裂和早产等并发症。因此，不论有无症状，孕妇都应接受筛查。

筛查指征

- 有自然流产或早产史的孕妇应接受筛查。

现有的筛查工具(见附件三)

- 细菌性阴道病可通过革兰染色阴道涂片镜检或单纯的床旁检查方法检出(见附录三)
- 活动原生动物滴虫(毛滴虫)：于玻片上，取少量阴道分泌物混入一滴生理盐水中，显微镜检可见运动的毛滴虫

推荐方法

- 有自然流产或早产史的孕妇应进行细菌性阴道病和滴虫病筛查。检查结果阳性者(在孕期初3月以后)应用甲硝唑每天3次，每次500mg治疗7天以减少不良妊娠结局的风险。
- 在妊娠中3月和末3月有阴道分泌物异常的妇女(不需筛查)应按上述方法治疗细菌性阴道病、滴虫病和酵母菌感染(见第九章流程图9)。
- 有阴道分泌物异常的非孕妇女应按第八章流程图1进行处理。

宫颈感染

宫颈感染远不如阴道感染常见，特别是在接受生殖健康医疗服务的妇女中更为少见，且常无症状。宫颈是淋球菌和衣原体感染最常见的部位。即使患者不表现出症状，仔细进行阴道窥器检查时仍可发现感染体征(表3.3)。阴道窥器检查还可发现其他感染，包括宫颈溃疡和宫颈疣的体征。

筛查指征与时机

以下情况下可进行筛查：

- 任何由于其他原因进行阴道窥器检查时。
- 孕期。

性工作者等频繁暴露于STI的人应定期接受检查。

现有的筛查工具

- 认真的阴道窥器检查可检出大部分(但非全部的)宫颈感染(表3.3)。
- 淋球菌培养检查效果准确、价格不贵、易于在现有的实验室条件下开展(表3.2)。
- 衣原体感染的实验室检查价格昂贵，且漏检甚多(表3.2)。聚合酶链反应(PCR)结果虽然准确但价格十分昂贵。

推荐方法

- 应认真仔细地进行阴道窥器检查，寻找宫颈感染体征(表3.3)。阴道窥器检查技术见附录一。阴道窥器检查可检出某些无症状的内部溃疡和生殖器疣。

- 将一棉拭子置入宫颈管内(宫颈内膜)，取出后若拭子颜色与白色背景相比较呈黄色(拭子试验阳性)，则宫颈感染的可能性很大，患者应进行淋病和衣原体感染治疗。
- 根据实验室的条件，宫颈内膜拭子标本也可作。
- 淋球菌培养(表3.2)；
- 衣原体感染检查(表3.2)；

表3.3 宫颈感染临床标准

筛查方法	体 征	处 理
阴道窥器检查可检出部分宫颈感染病例	黏液脓性分泌物（取自宫颈内膜的混浊、黄色分泌物） 用拭子触碰宫颈管时，宫颈质脆（易出血） 拭子试验阳性（拭子置入宫颈内膜变黄）	有上述任一体征的病人都应进行淋病、衣原体感染治疗 注：至少一半以上的宫颈炎患者无上述体征，有的体征阳性的妇女并未有淋病或衣原体感染

筛查是检出宫颈感染的少数几种方法之一，它不应仅限于有阴道分泌物异常的女性。宫颈感染通常是无症状的。无阴道分泌物异常的妇女同样有可能患有淋病或衣原体感染。尽管没有症状，但若感染蔓延至上生殖道，其后果可能相当严重。

盆腔炎

上生殖道感染或盆腔炎会导致严重甚至是危及生命的并发症，包括不孕或异位妊娠。但它们通常是静息性地发展，很少有症状，甚至无症状。在妇科检查时，发现有下腹压痛的女性应接受盆腔炎治疗。

筛查指征

以下情况下可进行筛查
- 于阴道窥器或双合诊检查时；或患者主诉有不确定的下腹不适、背痛、经期间少量出血和性交痛时。
- 经宫颈手术操作前。

现有的筛查工具

腹部和盆腔双合诊检查是仅有的检出无症状盆腔炎的方法。

实施筛查

附录一介绍了盆腔双合诊的检查技术。上生殖道感染的体征包括下腹痛、宫颈举痛、子宫及其附件压痛等。对出现这些体征的女性应使用下腹痛处理流程图(第八章流程图2)及时进行处理。

宫颈癌

宫颈癌被认为是STI的并发症，它的发生与人类乳头瘤病毒中的几个特异性病毒株有关。早期(宫颈发育异常)筛查与治疗可降低宫颈癌的发病率和死亡率。

筛查指征

宫颈癌筛查的指征视医疗条件而定。细胞学检验条件较好的地区，所有 35 岁以上妇女都应每隔 5 ~ 10 年接受一次筛查。条件有限地区，所有妇女在四十岁左右都应接受一次筛查。

现有的筛查工具

目前推荐使用的是宫颈抹片细胞学试验(巴帕尼科拉乌涂片)。宫颈视检等新技术目前仍在评价之中，也可能是适用的筛查手段。宫颈癌筛查也为检查其他宫颈感染提供了机会。

实施筛查

宫颈癌筛查要求检验人员能进行阴道窥器检查，并接受过涂片采集技巧和读片方法的培训。筛查阳性的妇女应接受进一步的诊断与治疗。

HIV 咨询检测

通过 HIV 检测，可以加强 HIV 预防，提高治疗的可及性，并防止母婴传播(见第七章)。HIV 检测在自愿、尊重受检者隐私和保密的基础上，由接受过专门训练的工作人员进行。除此之外，还包括了检测前与检测后的咨询服务。

HIV 筛查指征

在大多数情况下，自愿 HIV 咨询检测服务应：

- 作为常规产前保健的一部分或与产前服务相关联。
- 任何想了解自己是否感染 HIV 的人(包括孕妇的性伴)。

筛查工具

目前使用的 HIV 筛查试验有很多。世界卫生组织建议在通告患者阳性结果前，再进行一次与第一次检测不同的确证试验。

实施筛查

在就诊的生殖健康机构或通过转诊，可进行 HIV 咨询检测。HIV 咨询检测包括：

- 检测前咨询；
- HIV 确诊试验；
- 检测后咨询和需要时转诊。

HIV 咨询与检测应遵循自愿的原则，且在检测前需得到受检人的同意。HIV 检测决不能应其他人的要求进行，检测结果应当面交予受检者本人。

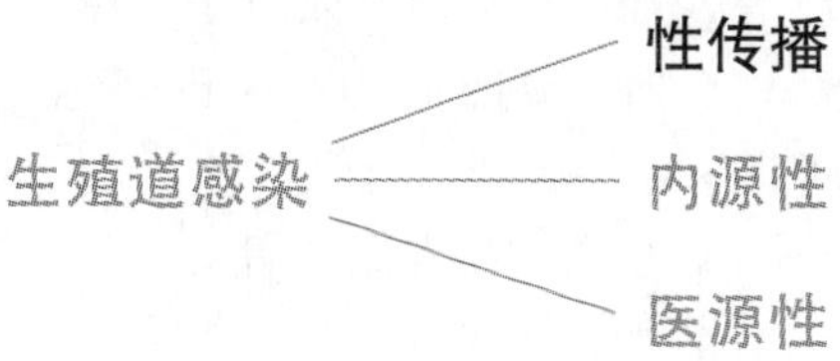

第四章 STI/RTI 教育与咨询

要 点

● 在提供 STI/RTI 健康教育时应注意强调以下几方面：
—**坚持正确使用安全套**；
—**减少性伴数**或推迟首次性行为的时间；
—**辨识症状**并及早接受诊疗。

● 提供基本的 STI/RTI **健康教育**耗时很少。需向所有的 STI/RTI 患者提供全程治疗和预防再感染的信息。

● STI 患者的性伴也应接受治疗。对非性传播的 RTI 无需进行**性伴治疗**，不可将非性传播的感染认定为 STI。

● 应灵活的根据每个病人的不同需求和具体环境进行**咨询**，咨询时要考虑到**行为改变方面的障碍**。

● 咨询应强调预防 STI/RTI 的重要性：
—**保护生育能力**；
—**保证安全妊娠**，预防先天性感染；
—**减少 HIV 感染危险**；
—**帮助人们获得高质量的性生活**。

● 在 STI/RTI 预防中，要明确和直接地面对性行为问题。

人们可能由于自身行为的原因而有感染 STI 的**危险**，这些行为可能由于性别、文化、贫困、移民或家庭问题等因素和环境而难以改变，从而限制了她们的选择，并增加其**易感性**。为了有效降低感染风险和易感性，人们需要的不仅是关于 STI 如何传播的信息，还需要其他支持来改变其生活方式。作为医务人员，可提供以下服务：

- 门诊就诊时提供**健康教育**。
- **提供咨询**，支持人们改变行为。
- 通过**社区教育**，提高人们对 STI/RTI 的认识，改变关于性行为的错误观点与态度。

健康教育与咨询有很大的不同。健康教育是提供与 STI/RTI 防治有关的基本知识，且不需太多时间。咨询则不同，它需要时间建立信任，评估患者的个人状况，并将预防知识与病人的个人生活直接的联系起来。但工作繁忙的医务人员很少有时间为每个 STI/RTI 患者进行咨询。

本章的主题是以门诊为基础的干预措施，主要内容见表 4.1。社区水平上的健康教育见第五章。

表 4.1 患者健康教育与咨询步骤

健康教育			咨询
提高认识	针对预防	作为 STI/RTI 处理的组成部分	
讨论 STI/RTI 及其并发症	坚持正确使用安全套	强调治疗的依从性	讨论感染的危险和易感性
症状说明及辨识方法	鼓励减少性伴数	推广安全套使用（包括为预防再感染，在治疗期间使用安全套）	分析预防中的障碍
早诊治	推迟发生首次性行为的时间（青年人）	鼓励通知性伴并接受治疗	讨论解决办法，培养安全性行为技巧 制定计划，进行随访

隐私与保密

隐私与保密问题在为病人服务的各个方面，包括病史采集、检查、教育与咨询等方面都极其重要。当患者的问题可能会带来歧视时，如患 STI/RTI，这一点显得尤其突出。所有病人均有权获得保密服务，青少年、性工作者、难民和其他一些生活在非法或边缘环境中的患者，特别需要了解这一点。青少年，尤其是未婚的青少年常常不肯接受医疗服务，因为他们认为医务人员会在道德上评判或否定他们，并有可能将他们的情况透露给他们的父母或其他长辈。如果病人觉得他们的隐私得不到尊重，或者医务人员态度刻薄、可能会从道德方面去评判他们，病人会避免一起到医疗机构就诊，有时甚至不惜长途跋涉到外地的门诊匿名就诊。

为“隐私”留出空间

在很多医疗机构，尤其是那些繁忙拥挤的机构里，从“视听”方面保证隐私与保密可能是十分困难的，但这却是最基本的。问诊、检查和咨询的地点应与候诊室分开，这样可避免候诊者听到或看到医务工作者和患者间说什么或做什么。应保存好病历记录和表格，门诊医务人员不得在门诊内外议论病人。无论是否患有或怀疑患有 STI，无论年龄与婚姻状况，患者都应得到同等的尊重。当遇到医务人员可能认识病人的亲友或邻居的情况时，更须注意向病人(也包括需要通知前来接受治疗的病人的性伴)申明服务的保密性。

STI/RTI 教育与咨询的一般技能

框 4.1 列出了医务人员在为患者提供教育或咨询时，所需具备的一些基本技能，其中的很多内容对病史采集和检查也有用。教育与咨询常在问诊的前一阶段，即医务人员问及病人的危险因素、症状和体征时就已开始了咨询和教育。需要注意的是，青少年可能尤其不愿承认已有的性行为，并且可能识别不出感染出现的症状或怀孕，在谈论这些时也会感到不舒服。医务人员的建议因个人的需求和关注内容的不同而不同，而且应与他们可能采取的实际行动相结合，以减少感染或出现并发症的危险。

框 4.1　健康教育与咨询技能

- 称呼病人姓名，热情地欢迎病人，然后自我介绍。
- 向病人保证其隐私会得到尊重，就诊信息完全保密。
- 与病人坐得近一些，交谈时让病人觉得舒适和保密。
- 注意眼神的交流，在病人说话时看着病人。
- 使用病人易懂的语言。
- 听病人讲，并注意其肢体语言(姿势、面部表情、眼神恍惚等)。尽力理解病人的感觉、经历以及观点。
- 鼓励病人。点头或说“请具体讲一讲”。
- 使用开放式问题。
- 提供相关的信息。
- 尽力找出病人真正关心的内容。
- 向病人提供多种选择。
- 尊重病人的选择。
- 始终请病人重复所讨论内容的核心点，确认病人已理解了讨论的内容。
- 不可：
  ——一直进进出出房间；
  —鼓励其他医务人员打断谈话；
  —在病人说话时，一直不停地作记录；
  —作出道德上的评价或负面的表情。

健康教育

所有病人都需要掌握 STI/RTI 传播与预防的知识。医务人员应对性行为表示出肯定的态度，并强调保持健康和生育的同时，享受**健康性生活**的好处。框 4.2 是一份在病人教育中应提供的基本信息清单，另外：

- 若就诊的目的是**计划生育**，应向就诊者提供关于 STI/RTI 的知识、预防 STI/RTI 的方法以及如何识别感染症状，强调**坚持正确使用安全套**是惟一可以避孕**又能**预防 STI 的方法(双重保护)。
- 若病人已经**妊娠**，那么她需要了解孕期预防 STI/RTI、进行梅毒检查和 HIV 及其他可能危及她和妊娠的相关知识。
- 督促出现 **STI/RTI 症状**的病人接受医务工作者推荐的治疗方案，并讨论预防措施。若为性传播感染，通知其性伴接受治疗(见第八章)。

将教育、预防咨询与计划生育、产前检查相结合的具体建议见第六章和第七章。

上述所列信息中，很多都可以在候诊时向病人说明。健康教育者或其他工作人员都可向患者提供预防 STI 等基本性健康知识，并使用活动挂图或宣传画的形式予以强化。在有条件的的门诊，还可利用录音录像的形式进行宣传。但无论采用何种方式，都应提供给病人讨论的机会，并在检查或咨询时有机会向医务人员私下询问。

这种小组形式的宣传活动能帮助病人弄清他们的问题所在。在问诊和检查时，也可进行继续教育。比如，如果病人提及性伴使用安全套方面有困难，就可与她谈论性伴协商使用安全套的技巧。记住在就诊结束时，给病人总结一下谈话的要点，并且给病人提问的机会。

框 4.2　病人应了解的信息清单

关于 STI/RTI 的信息

- STI 如何在人与人之间传播(而其他 RTI 不是)。
- STI/RTI 的后果，包括不孕和妊娠失败。
- STI、HIV 及造成传播的行为之间的关系。

STI 的预防

- 在哪里能获得安全套。
- 坚持正确地使用安全套(尤其是与新性伴性交时)。
- 限制性伴数量。
- 推迟首次性行为的时间(青少年)。
- 采用其它方式替代插入式性交。
- 协商技巧。

健康性行为

- 正常的生理与心理变化。
- 健康性生活的益处。
- 当出现问题时，何时以及如何寻求帮助。

STI/RTI 症状

- 症状与症状分析。
- 及早接受临床服务。

STI/RTI 治疗

- 用药方法。
- 治疗期间不进行性生活，或进行有保护的性生活。
- 性伴通知的重要性。
- 需要复诊的体征。

有关安全性行为的病人教育

大家都知道某些行为会增加 STI 传播的危险，其中包括接触阴道、口腔或肛门内体液的无保护性交。对于性工作者这类人群，使用安全套或其他预防措施可能是比较困难的。

安全性行为(框 4.3)不会让性交双方感觉不适，心存担忧或有感染疾病的顾虑。强调安全性行为才是真正的性——夫妻之间可以一起讨论性生活，学习让彼此感到舒适的各种方法。

框 4.3 什么是安全性行为?

安全性行为是指任何可降低传播 STI 与 HIV 风险的性活动。安全性行为中，精液、阴道分泌物或血液不能通过阴道、肛门或其他开放式的溃疡或伤口进入人体内。

列举一些安全性行为

- 每次性交时都使用安全套(尤其是与新性伴性交时)。
- 减少性伴数量——一夫一妻制，与未感染的性伴发生性行为是最安全的。
- 尝试用按摩、摩擦、抚摸、干吻、拥抱或手淫代替性交。
- 避免不安全性行为，如“干阴道性交”，这种方式可使皮肤受损——性交时阴道应湿润。
- 肛交全程中，需一直使用安全套和润滑剂，因为该处黏膜很容易撕裂。
- 若自己或性伴患有生殖器溃疡或出现分泌物异常，切勿性交或口交。

STI/RTI 治疗后的病人教育

接受 STI/RTI 治疗的病人需要更多相关知识，以确保他们完成治疗并预防再感染的发生。框 4.4 总结了 STI/RTI 治疗后，需向病人提供的一些必要信息。

框 4.4 病人教育——STI/RTI 病例处理的组成部分

- 鼓励病人从门诊或医生处寻求治疗，劝阻病人自我用药或从无证医疗机构处获得治疗。
- 鼓励病人完成全程治疗。症状一消失就停止治疗是治疗失败的一个普遍原因。劝阻病人与他人合用药品。
- 避免在诊断不明确时将感染认定为 STI。大多数 RTI 并不是通过性途径传播的，病人(及其性伴)应了解这一点。
- 鼓励病人的性伴在适当时接受治疗(见第八章)。对患有生殖器溃疡、宫颈炎或盆腔炎的女性，其性伴也应接受治疗，且为避免误会和性伴间可能出现的矛盾，在咨询时应小心谨慎。
- 强调可采取的预防再感染的方法。其中包括向病人提供安全性行为(框 4.3)和安全套使用方面的信息，并在需要时，提供更深入的咨询。

咨询

在支持女性和男性采取有效的 STI/RTI 预防对策方面，医务人员扮演着很重要的角色。与健康教育比起来，咨询是个更为深入的过程，需要更多的时间。因此，工作繁忙的门诊有必要安排专人为病人进行咨询，该工作人员也可提供 HIV 自愿咨询与检测等其他服务。有效的咨询需涵盖 STI/RTI 感染危险因素和易感性等问题(框 4.5)。

医务人员应有**灵活的咨询方法**，以便使每个人或性伴双方都得到所需的信息，为每位患者寻求可靠的避孕措施与 STI 预防之间的平衡点(双重保护)。

- 对于年轻的单身就诊者来说，由于不了解感染 STI 的危险，避孕才是主要问题(框 4.6)。STI 危险教育可增加安全套的使用，提供**双重保护**或推迟首次性行为的时间。

框 4.5　有效咨询的内容

了解该患者的状况，感染危险和易感性。要认识到患者的生活中可能存在难以改变的因素(如酗酒、为生计而从事性工作等)，这些往往使得安全性行为难以实现。

提供信息：向病人提供有关高危行为、STI 危害的准确信息以及如何自我保护的具体方法。

看清障碍：是什么让一个人无法改变其行为？是个人观点、信息缺乏，还是要讨好性伴？其中哪些可以改变？如何改变？

通过一些事例帮助患者降低感染危险：个人的经历常常能促使一个人改变其行为。与艾滋病患者见面，听说某个亲戚或朋友由于 STI/RTI 失去了生育能力，或者知道自己的性伴感染了 STI/RTI，这些都可以成为让人改变行为的动力。

制定出降低风险的目标：制定患者认为现实可行的短期和长期目标。

提供实用的技巧：教授协商技巧、演示安全套的使用方法，角色扮演进行对话。

提供选择：人们需要感觉他们有选择的余地，以便做出自己的决定。讨论危险性更小的替代行为。

为阻碍做准备：演练如何处理困难的情形(如丈夫发火或者不肯用安全套)。

- 育龄期的青年人，无论是否使用避孕措施，都会时常担心自己今后的生育能力。强调预防 STI 在**家庭健康与生育**方面的重要性可成为一种有效的动力。
- 孕妇及其性伴在安全妊娠问题上颇有忧虑，可由此调动他们预防 STI/RTI 的积极性，以**减少先天性感染**的风险。
- 输卵管结扎、绝经或孕期妇女不存在避孕的问题，但她们仍有感染 STI 的危险，仍需预防方面的建议。

框 4.6　专为青年人而设的咨询

- 为青年人提供咨询可能更耗时。
- 应使青年人认识到他们的隐私将获得尊重，服务内容保密。
- 确定是否有人一同讨论他或她的问题。
- 留意可能的性暴力或性胁迫。与年龄大得多的性伴发生性关系很可能存在胁迫，并具有更高的 HIV 和 STI 感染风险。
- 确保青年人了解正常的性发育过程，以及人是如何怀孕的。
- 青年人应明白对性可以说“不”。
- 讨论关于吸毒和/或酗酒及高危性行为的问题。
- 引入同伴教育有帮助。
- 确定青少年有能力支付 RTI 治疗所需费用，并能完成全程治疗。青年人在发现自己未曾预见到的副作用时，非常有可能终止或中断治疗。
- 确保方便时可得到随访。

关注风险与易感性

很少有人能够轻易接受对他们有益的信息，并在生活中做出相应的改变。医务人员应清楚认识到感染 STI 风险与 STI 易感因素，并采取现实可行的手段改变其行为。风险与易感性既受到行为的影响，也受年龄、性别、居住地、工作地，甚至社会、文化和经济环境等因素的影响，其中一些因素可能非个人能力所能改变。外出打工人员长期与家人分居，他们可能由于寂寞而有高危性行为；贫困人群难以获得医疗服务；某些男性和女性可能迫于生计或养家糊口而出卖性或进行性交易。

只有了解到一个人的生活中有难于改变的因素，这样才能做出符合现实要求的咨询。而对风险问题的认识也有助于做出 RTI 处理决策(表 4.2)。

不过，不存在完全适用的方法可对每一个人的风险进行评估。表 4.3 可帮助医务人员利用其临床技术、对社区的认识以及病人自己对风险的评价，综合进行考虑后处理病患。在处理实际问题时，病人可能会找到适合自己的解决之道。

表 4.2　个人风险与生殖健康决策以及 STI/RTI 预防、检查与处理

	高风险	低风险
避孕措施的选择（第六章）	多性伴的女性应使用安全套或同时使用安全套与另一避孕措施	对一直是一夫一妻制的夫妇而言，可能并不需要双重保护措施
RTI 检查	有多性伴或其他高危因素的人应首先进行 STI 筛查（若提供筛查服务） 35 岁以上的女性发生宫颈癌的危险性高，因此她们应优先进行宫颈癌筛查	除孕期须进行梅毒检查外，无明显危险的无症状患者不需接受 STI 筛查
RTI 处理（第八章）	青少年出现阴道分泌物异常，同时性伴也有分泌物异常者，应另外接受宫颈感染治疗，以及 STI 预防和性伴治疗的咨询	若女性为一夫一妻的生活且家庭稳定，则她感染 STI 的危险很低；当出现阴道分泌物异常时可作常见阴道感染的处理（见第八章流程图 1）
咨询（第四章）	应针对具体的高危行为进行咨询	对无明显危险行为的妇女无需进行过多的咨询（她们很可能也不愿意接受过多的咨询）
性伴治疗（第八章）	性伴治疗的决策应根据夫妇具体情况而定。若其中一方有其他性伴，或常常离家在外，较为安全的做法是：即使症状不明情况下，仍对夫妇双方进行 STI 治疗	很多 RTI 并非性途径传播，也不需进行性伴治疗。出现疑问时，谨慎地提及性伴通知，让患者自己决定

表 4.3　风险评价时应考虑的因素

社区内或社会中 STI 的流行情况	在以下人群或情况下，STI 流行更严重： • 性工作者、嫖客，以及两者的性伴 • 以金钱、馈赠或享乐为目的的高危性行为，此种情况下当事人可能并不认为自己是性工作者或处在高危状态 • 时常离家外出，与伴侣分居的外出打工人员等 • 青少年及青年人
从病人那里获取信息	出现以下情况，提示高危暴露： • 多性伴 • 最近有新的性伴 • 性伴出现 STI 症状
服务提供者判断	医务人员可结合临床判断、社区知识以及以上因素进行危险因素评估
患者认定自己可能处于危险中	有时向病人提出危险行为，诸如此类隐私问题时是有难度的，或病人不愿意回答。此时，可直接问患者自己是否觉得有感染 STI 的危险。这样可为后面问更多的问题和讨论创造条件，或者患者可能对细节避而不谈，直接承认有高危行为

支持行为改变

无论如何环境中，病人都需了解关于STI/RTI，高危行为以及避免高危行为方面的知识，同时还需要包括安全套使用等安全性行为协商方面的支持。

医务人员可用咨询技巧，支持男性与女性根据其需求采取相应的安全性行为。框4.7列出了一些有助于病人协商进行安全性行为的信息。

框4.7 安全性行为协商

安全性行为协商与我们通过协商获得其他东西一样，其他方面成功商议的经验，可对安全性行为协商有所助益。决定自己想要什么以及可以给予对方什么，这是协商的开始。

以安全为核心

安全性行为协商应以安全为核心，而非缺乏信任、责怪或处罚对方。当双方均可从中受益时，容易就此达成共识。

以他人为例

知道别人也在进行安全的性行为可使协商变的容易。

必要时求助

请可信的人与性伴一同讨论安全性行为，可使协商更容易。

安全套使用协商就是一例。框4.8列出了一些男方被要求使用安全套而提出反对意见时，女方的回应方法。

框4.8 帮助女性提高安全套使用协商的技巧

若男方说：	试着回答：
感觉会没有那么好......	可能会感觉不同,但是仍然很舒服的。我试给你看。
我又没病!	你做爱的时间会更长,我们俩都会觉得舒服!我也觉得我没病,但是我们两个当中可能有一个得了病,但还不知道。
你已经使用了节育实施!	我还是想用。我们俩当中可能有一个以前感染了但不知道。
就这次不用......	要得STI、艾滋病一次就够了。还有,我还没准备好要怀孕。
妓女才用安全套,你干嘛要想用?	安全套是为了保护他们自己而用的。
	不用安全套,不性交!
尽力使双方在使用安全套性交时都感到舒服,这样,下次性交时就比较容易说服男方再次使用安全套。	

关于“危险因素”、“保护措施”的咨询内容听起来容易让人感到不快，尤其是青少年和其他可能对自己的性行为感到困惑或者有罪恶感的人更是如此。医务人员应尽力保持积极的态度，强调保护健康与生育能力的同时，享受健康的性生活是件有益的事。下一个部分将介绍在社区和生殖健康门诊内得到这些信息的方法。

第二部分　改善 STI/RTI 防治服务

第一部分概述了 STI/RTI 及其并发症的基础知识，包括 STI/RTI 的传播和处理。此外还回顾了医务人员在 STI/RTI 防治中所需的基本技能与知识。

第二部分概述了在生殖健康服务中，STI/RTI 的处理经验。此外还提及了接近男性、青少年和其他不常使用生殖健康服务人群的方法。

第三部分涉及 STI/RTI 的处理——如何诊断与治疗 STI/RTI，包括流程图和治疗表。这部分以“解决问题”为导向进行编写，以便读者可快速获取信息。

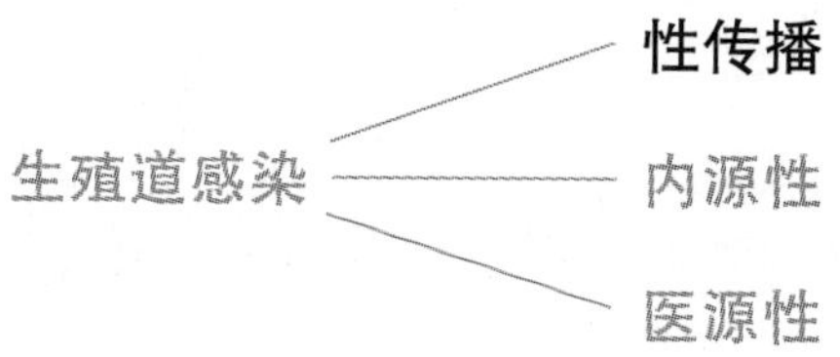

第五章　推动 STI/RTI 预防 提高医疗服务利用率

要　点

- STI/RTI 公共卫生防治手段包括**减少医疗服务中的障碍**、**提高社区** STI/RTI **防治意识**、**推广** STI/RTI **服务**，以及开展不常使用生殖健康服务人群的外展服务。
- 服务内容应**可及和易接受**，以便 STI/RTI 患者在需要时，可得到及时的服务。
- 社区应了解 STI/RTI 及其并发症，推广 STI/RTI **早发现**、**早诊断和早治疗**的理念。
- 强调 STI/RTI 与不孕、妊娠并发症和 HIV 感染的关系，**鼓励人们利用 STI/RTI 防治服务**。
- 鼓励男性参与到 STI/RTI 预防工作中来，针对男性 STI/RTI 问题，提供专门的服务或治疗。
- STI/RTI 防治服务应包括那些处于 STI/RTI 及并发症危险之中，且不愿到门诊就诊的**青年人**。
- 设法接近 STI 的高危人群，如性工作者及其嫖客，这是减少 STI 传播的关键。

如第一章所述，条件好的社区相对于医疗服务条件差、社会动荡不安或 STI/RTI 高危人群不能得到有效防治服务的社区，STI/RTI 及其并发症的发病率较低。本章着重阐述如何向有 STI/RTI 服务需求的人群提供服务的方法。包括：

- 减少服务使用中的障碍；
- 提高 STI/RTI 防治意识，推广服务利用；
- 向不常使用生殖健康服务的人群提供扩展服务。

减少服务使用中的障碍

提高服务利用的第一步是就是要去除人们服务使用中的各种障碍。通过与病人和社区成员交谈，常常可以了解障碍所在。各种“可及性”问题，是人们使用医疗服务的障碍。如：

- 政策、法律和法规——是否限制青年人和妇女接受 STI/RTI 医疗服务？是否要求获得家长或丈夫的准许？
- 地点——人们是否能方便的到门诊就诊？流动门诊和卫星门诊可扩大临床服务的覆盖面。
- 时间——门诊的工作时间是否对上班族、学生和其他人都方便？在夜间和周末特设就诊时段，可为在其他时间无法就诊的人提供方便。
- 收费——人们是否能承担诊疗、实验室检查和药物等费用？收费过高使人们不敢就诊，而最终 STI/RTI 及其并发症发病率的上升将增加社区范围内的总成本。

另外，也可能存在服务“可接受性”上的障碍，包括：

- 耻辱——由于工作人员尖酸刻薄的态度或过多的道德评判，使得人们不敢到门诊就诊；无尊重感可言的治疗过程使得青少年不愿接受医疗服务；此外，生殖健康服务常常被认为是女性专用，这使得男性不肯接受服务。
- 缺乏隐私保护——青年人对其健康状况或性行为方面的信息是否保密尤为担心。医务人员可采取相关措施，确保门诊检查过程中的信息保密(见第四章)。
- 医疗机构管理不善——人们是否对门诊及工作人员有信心？认为她(他)们所接受服务为高质量的服务？改善服务可树立她(他)们的信心。
- 物资与药品供应不足——病人是否能就地获得所需的检查和治疗？如果不能，为节省时间和金钱，他们很可能直接去药店买药，进行自我医疗。
- 医务人员能力不够或得不到尊重——人们是否感到门诊工作人员对她(他)们就诊表示欢迎？是否对医务人员有信心？

认识和解决这些问题，利于推广 STI/RTI 防治服务。

提高 STI/RTI 防治意识，推广服务利用

即便“可及性”与“可接受性”方面的问题得到了解决，仍有很多人不使用 STI/RTI 防治服务，因为他们并没有觉察到什么地方出现了问题。因此，必须在社区范围内推广 STI/RTI 预防服务，加强人们利用 STI/RTI 防治服务的意识。

医务人员应督促有症状或有 STI/RTI 疑虑的人及早接受医疗服务，包括：

- 提高对 STI/RTI 及其并发症的认识。
- 使人们认识到什么是 STI/RTI 的症状和及早接受医疗服务的重要性。
- 推广妊娠早期梅毒检查等筛查服务。
- 向青年人和其他可能对服务感到不适的人群推广服务，并开展外展服务。

宣传应强调 STI/RTI 预防的重要性以及早发现、早治疗的益处(框 5.1)。与各类人群广泛接触并说服他们及早接受 STI/RTI 防治服务，利于医务人员从公共卫生层面对 STI/RTI 的控制，减少社区的疾病负担。

框 5.1　推动 STI/RTI 医疗服务的利用

社区成员应了解 STI/RTI 以及如何防治 STI/RTI	**防胜于治**——最有效的措施在于减少暴露，预防感染(推迟首次性行为的时间、减少性伴数量和/或坚持使用安全套)。 **早治胜于晚治**——及早发现并治疗 STI/RTI，可在发生任何并发症或传染给他人之前将问题解决。 **晚治胜于不治**——错失预防和早期治疗的时机时，也应进行并发症的诊断和治疗。但与前两者相比，此时的干预疗效较差，花费更高。

向不常使用生殖健康服务的人群提供外展服务

在开展社区内的 STI 防治和处理患者疾病时，都需注意影响感染风险的因素与易感性，如年龄、性别、文化和职业等。若忽视社区内的男性和青少年等人群，则很难在社区内开展 STI 防治工作。另外，STI 的高危和易感人群，如性工作者、嫖客和外来打工人员等可能并不清楚或者不愿使用医疗服务，对上述人群开展外展服务都有助于 STI 的控制。

男性参与

男性与女性相比，多性伴的可能性更大，这意味着他们感染或传播 STI 的可能性更大。男性在感染 STI 后出现症状的可能性也更大，一般，他们会去门诊和私人医生处就诊，或直接到药店购药进行治疗。因此，男性获得高质量的 STI/RTI 防治服务是 STI 控制的重要组成部分。

生殖健康门诊至少应向女性患者的性伴提供治疗。以往仅为女性服务的生殖健康服务机构正在越来越多地提供针对男性的 STI/RTI 防治服务，包括使男性性伴参与到双重保护(防止感染且避孕)的决策中来。有的生殖健康门诊还为男性安排了专门的时间和地点提供 STI/RTI 咨询与治疗。

除了扩大服务范围，加强男性参与外，还应提高其他生殖健康机构(私人医生、药店等)的服务质量，并建立转诊和性伴治疗等一整套制度(框 5.2)。

在男性的工作场所或聚集场所提供服务(职业健康门诊和酒吧、娱乐场所的外展服务)，有助于提高男性 STI 治疗的可及性。在娱乐场所中，安全套应非常容易获得。生殖健康门诊应与当地的药店、药品供应商和传统医学医务工作者合作，熟悉 STI 的防治指南并加以讨论，进行有效的性伴处理(框 5.3)。

框 5.2　向男性提供服务

当男性了解到 STI 可危及他们的健康和生育能力，甚至可能威胁到他们的妻子、女友或孩子的生命时，可能更快接受 STI 预防知识。	男性生殖健康项目或工作场所干预项目两个目标： • 鼓励患有 STI 的男性带着或者通知其性伴接受治疗。男性更易出现 STI 症状，所以性伴管理是发现无症状 STI 女性感染者的重要途径 • 向男性提供预防方面的信息，尤其是关于在商业性行为和偶遇性行为中安全套使用的知识，这将减少他们将 STI 带回家的机会

框 5.3　自我医疗

很多人感染 STI 后，都不去看医生或到门诊就诊，而是进行自我医疗。在男性和青年人当中，这种情况尤为普遍。他们不需要处方，可以直接从药店购买到抗生素。性工作者和嫖客也常服用抗生素或者进行其他治疗，他们认为这样可预防感染的发生。

自我医疗弊端：首先，没有受过正规培训的工作人员(如药店导购)卖给患者的药常常是没有效果的。第二，为了让患者买得起，所售药物的剂量可能不够，这不仅不能使感染治愈(即使症状会在一段时间内消失)，并且病菌会产生耐药性，常用抗生素会失去作用。

医务人员应了解到患者进行自我医疗可能是由多种因素造成的。当地门诊的可及性可能很差，譬如收费高、候诊时间长和保密性差等。提高门诊的服务质量可提升门诊的声誉，从而减少患者自我医疗的状况。

青年人

总的来讲，青年人中的 STI 感染率高于成年人，这其中有多种社会、行为和生物原因，例如：

- 多性伴的可能性更大，且性伴关系维持得更短，因此发生 STI 的机会也更大。
- 安全套获得存在困难或使用安全套时非常尴尬。
- 在某些情况下，可能很难拒绝性(家庭内，或者为了换取学习用品和生活日用品)。
- 可能不知道哪些情况下或者哪种性伴的感染风险高。
- 可能缺少有关 STI 症状的知识，不知何时应求医。
- 可能惧怕医务人员道德上的批评和评判，在接受计划生育和其他生殖健康服务时感到不适。
- 可能不了解何处可获保密医疗服务。
- 可能承受不了医疗费用。

在某些国家的社会文化中，认为少女应尽早结婚，且婚前不应有或者只能有很少的性经验。但是，即便如此，她们仍有被感染的危险，因为她们的丈夫可能在她们之前还有过其他性伴或者有多个性伴。性伴年龄比自已大很多的年轻女性，被感染的可能性更大(特别是 HIV、单纯疱疹病毒 2 型和人乳头瘤病毒等不可治愈的感染)，并且发生非自愿性关系的可能性更大。另外，从生物学的角度上讲，少女尤其是青春期的少女，宫颈组织结构较成年女性更易感。

生殖健康门诊有义务向青年人提供优质、易接受和可及性强的 STI/RTI 防治服务。“青年友好服务机构”基于青年人的需求而创建，旨在尊重、隐私保护的基础上，提供保密医疗服务。机构配有优秀的工作人员，并建在青年人可及的地方。社区应对它们给予支持，且青年人应参与到机构的规划与监督中来。

框 5.4 概括了提高青年人 STI/RTI 防治服务时需考虑的问题，以及一些需要向青年人传递的信息。对他们的生活(包括性行为)产生影响，如何获得服务与物资等实用知识是青年人所需要的。妇女和青年女性无法只从强调洁身自好的教育中，获得减少感染危险的知识，也不会进行安全性行为的协商。

为了给青少年提供易接受和可及性强的服务，应向青少年这一易感人群提供 STI/RTI 防治服务，从而保证他们今后的健康性生活。在获取安全套和避孕服务等方面，青年人所面临的障碍常常来自于父母、医者和社区，这包括对青年人性行为持否定或反对的态度。利用外展服务和同伴教育，我们可以将服务推广至那些缺乏 STI/RTI 防治知识或不易获得服务的青年人。

有的国家，可以发生性行为与可以享受医疗服务的法定年龄并不相同。医务人员需了解相关法律情况。最理想的情况是当青年人的健康受到威胁时，就可以得到治疗或其他服务。而在少数国家，向青少年和未婚女性提供任何治疗都是非法的。社区应宣扬此类政策的弊端，倡导改变。

框 5.4　向青年人提供服务

应提供方便、保密的服务；鼓励使用阻断措施（事后紧急避孕）进行避孕；将培养青年人安全性行为协商技巧作为互动的核心。

青年人安全性行为包括：

- 推迟首次性行为的时间。
- 学习坚持正确使用安全套的方法。
- STI 预防和避免意外妊娠的双重保护。
- 限制性伴数量。
- 避免与任何性伴发生高危性行为（尤其是无保护的阴道性交和肛交）。
- 辨别 STI 症状并及早求医。

性工作者及其他多性伴者

频繁更换性伴的人更可能感染 STI。性伴数量越多，感染 STI 的机会也就越大，传染给他人的可能性也越大。将干预措施成功扩展到这些高 STI 感染风险的人，这将会对社区内的 STI 传播产生巨大的影响（框 5.5）。

向这些人群推广高质量的防治服务对 STI 的社区控制具有重要意义。通过建立流动门诊和开设特诊时间段，为性工作者提供外展服务、同伴教育和临床 STI/RTI 防治服务，对减少社区内 STI 的传播大有裨益（框 5.3）。

框 5.5　向性工作者及其嫖客提供服务

商业性工作者 STI 控制工作的障碍包括：难以获得有效的防治措施，以及使性工作者难以坚持使用安全套的社会因素。

服务应方便，确保隐私和保密。对难以获得服务的性工作者应组织外展服务；同伴教育是支持性工作者安全性行为的关键。医疗工作者应支持反对性骚扰的法律和社会活动，提供防治服务。

对性工作者提供的 STI/RTI 服务应包括：

- 提供安全套（以及润滑剂），并推广坚持正确使用安全套。
- STI 筛查或 STI 预防治疗。
- 为有症状或接触者提供 STI 治疗。
- 双重保护，既预防 STI/RTI，又避免意外妊娠。

其他人群

STI 在某些人群中比较常见，如外来人员、某些机构的工作人员、囚犯和流浪青少年。努力向这些人提供有效的 STI/RTI 防治服务对社区 STI/RTI 的控制助益甚大。

绝经期妇女可能不再需要生殖健康服务，但仍可能处于性活跃状态并易感染 STI/RTI。此外，已无避孕之忧的妇女，包括绝育术后的妇女，可能很少会使用安全套，与性伴协商使用安全套也会变得十分困难。为这些女性提供STI预防和安全套使用的咨询始终是健康咨询的重要组成部分，而对年纪较大的女性而言，进行STI/RTI的筛查(如宫颈癌)是十分重要的。

儿童也容易感染STI，且由于青春期前STI的表现症状不同，常常被误诊。同时，越来越多的人认识到儿童性虐待的严重性。这些儿童都应被送往有关机构接受有效敏感的治疗。第十章介绍了关于性暴力处理的相关信息。

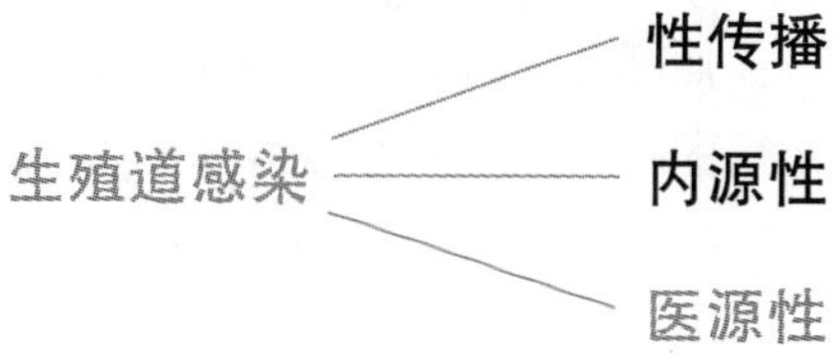

第六章　常规计划生育服务中的 STI/RTI 评估

要　点

● 在每次检查时都应与计划生育门诊就诊者讨论 STI/RTI 预防。利用每次机会推广**双重保护**作用——既能避孕又预防 STI/RTI。

● 若坚持正确使用，**安全套**可提供十分有效的双重保护，这是目前惟一一种提供双重保护作用的方法。

● 在**宫内节育器的使用**上，专家对“STI 感染风险高的女性”和“淋病或衣原体感染暴露风险高的女性”进行了区分。如前者包括居住在 STI 流行地区的女性，而后者包括自报有一个性伴(当前或过去)、有异常尿道分泌物，并处于性活跃期年轻女性。世界卫生组织认为，不可由于所居住地区 STI 的流行，而拒绝女性使用宫内节育器。而对于淋病或衣原体感染暴露风险高的女性建议不使用宫内节育器。

● **HIV 感染**风险较高或已感染 HIV 的女性不应使用杀精剂。除非无其他方法可用或无法接受其他方法，她们不应使用带杀精剂的阴道隔膜。

● 应问及女性常见的 STI/RTI **症状**，有症状的妇女应实施病征处理。

● 询问其**性伴的症状**。性伴有症状的女性应接受治疗，并安排性伴接受治疗。

● 无论何时，只要有条件都应进行 **STI/RTI 筛查**，通过查血、仔细认真的阴道窥器和双合诊检查可检出多种无症状 STI/RTI 感染。

● **风险评估**有助于判断女性的 STI 防治需求，但评估结果为阴性并不表示没有感染的危险。

到计划生育(FP)门诊就诊既是避孕也是预防 STI/RTI 感染的机会(双重保护)。同时，通过计划生育检查也可以发现某些无症状 STI/RTI 感染者、为那些有症状但不求医的女性提供治疗机会。如何才能将这些充分利用起来呢?

我们应承认，人们通常不会因 STI/RTI 到计划生育门诊就诊。大多数女性到计划生育门诊是为了避孕，医务人员应在提供有效避孕措施的基础上，提出 STI/RTI 预防问题。对于计划生育门诊就诊者，有几个问题需谨记:

● 计划生育门诊日常医患接触中，很难进行 STI 感染风险评估。因此，计划生育门诊中，应始终认为所有处于性活跃期的人都可能感染 STI。

● **坚持正确使用安全套**对避孕和预防 STI 都十分有益，这是**惟一**一种提供有效**双重保护**的方法。

● STI/RTI 女性患者可使用大多数的避孕方法，但是，患者应进行必要的治疗，并且采取措施预防再次感染。

基于以上原因，关注病人避孕和 STI 预防需求均十分重要。有的门诊使用简单的工具对病人的 STI 风险进行评估(如自填风险评估问卷，或者问一些简单的问题，譬如你的伴侣有没有异常尿道分泌物？你有没有多个性伴？)。这类评估是非常有用的，但**即使没有报告任何高危行为或危险因素，她仍存有感染的风险**。很多妇女的感染风险都来自于性伴，因为一夫一妻的稳定性关系，所以她们通常认为自己不会被感染。在与这些认为不需要双重保护的女性讨论感染风险时，医务人员应认识到这个问题。

将 STI/RTI 评估与常规计划生育服务相结合

以世界卫生组织即将出版的《计划生育服务使用者与提供者决策工具》一书中的医患互动方法为参考，此处给出了将 STI/RTI 评估与常规计划生育服务相结合的建议。在计划生育门诊初诊(方法选择)与常规随访服务中，处理 STI/RTI 的方法是不相同的，需区别对待。

初诊

避孕通常是女性到计划生育门诊首诊的原因。之前，她们自己可能倾向于选择某种避孕方法，抑或还有其他问题，而这些问题可能与 STI/RTI 有关，也可能无关。在妇女决定所需的避孕方法前常常需要与医务人员讨论很多问题，STI 预防就是其中之一。

在首次计划生育检查中，何时应提出 STI/RTI 问题？如果提得太早，女性可能会觉得医务人员忽视了自己本来的避孕需求；提得太晚，可能又要重新考虑已选定的避孕方法。下面将具体介绍计划生育首诊中，处理 STI/RTI 的方法。由“就诊原因”为出发点，医务人员可通过以下几个步骤帮助就诊者选定适宜的避孕方法，包括与女性讨论拟选的避孕方法、避孕方法适用性的讨论、评估她目前或今后的 STI/RTI 感染风险，最后做出选择这几个步骤。

首次计划生育检查中的决策步骤

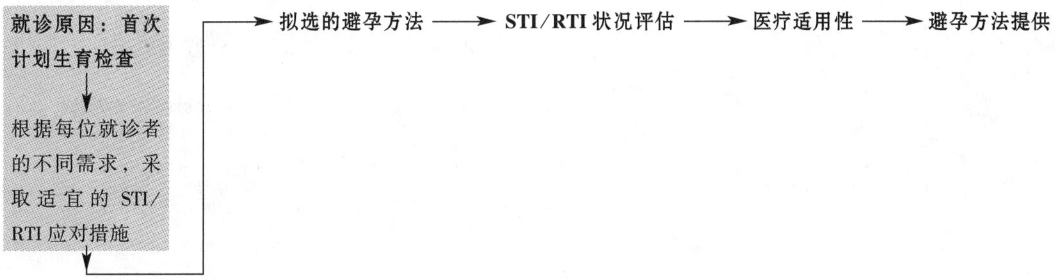

下面我们将逐一介绍每个步骤，并特别强调 STI/RTI 的评估和预防。

第一步：讨论避孕方法

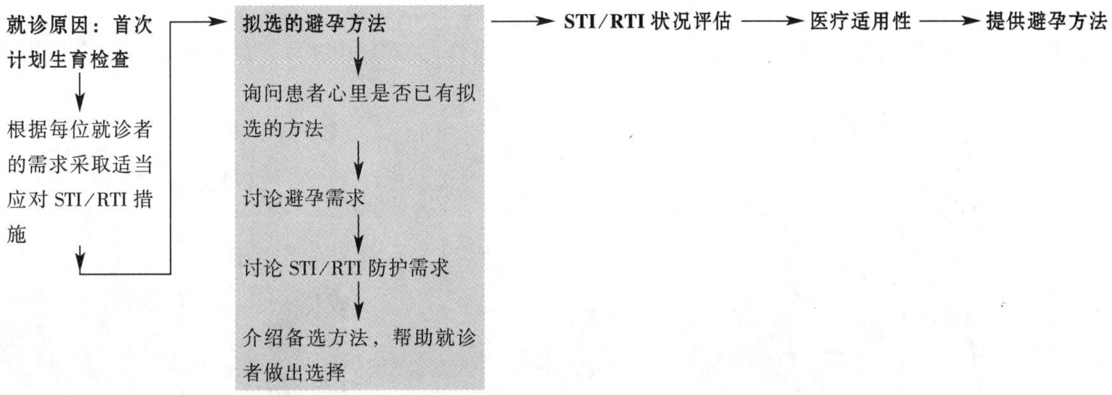

询问就诊者心里是否已有拟选的避孕方法。最初的喜好是其后成功使用该方法的重要影响因素。选择自己一开始倾向选择的方法，女性会更加满意并更长时间地使用该避孕方法。

讨论避孕需求。讨论中，医务人员应提及有的避孕方法可提供更好的 STI 预防，从而引入双重保护的概念。

讨论 STI 防护需求。请就诊者谈谈自己对 STI 有何顾虑。开放式的、个性化的问题（“请你告诉我你对 STI 有什么忧虑！”）要比封闭式提问（“你是否需要关于 STI 方面的知识？”）更好，后者很容易被对方一句“不需要”就忽略掉了。

提供可选方法，帮助妇女做出选择。本章后面的框 6.1 中包含了各种避孕药物在避孕和预防 STI 方面的有效性信息。

框 6.1　双重保护选择问题

要问的问题

- 哪些方法最适合你？**协助就诊者做出选择。**
- 你是否能坚持使用它？**什么因素会使这一方法难以坚持使用？怎样应对这些因素？**
- 你的伴侣会不会帮助你？**就诊者是否可以与性伴谈这些问题？**
- 你有何后备选择？**例如，若就诊者选择使用安全套，那么在安全套用完时，就诊者夫妇会不会放弃这一方法？**
- 你是否觉得你或你的伴侣可能有感染？**例如，排尿疼痛或灼烧痛，生殖器溃疡，或者男方的阴茎流脓？**
- 你是否觉得你的伴侣还有其他性伴？

可选的计划生育方法

1. **使用男用或女用安全套**

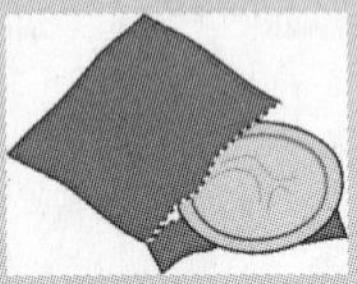

OR

2. 使用安全套和另外一种计划生育措施

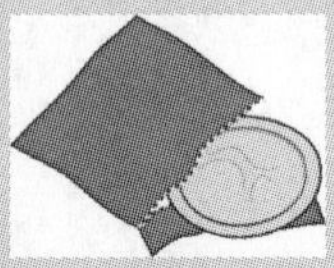

AND

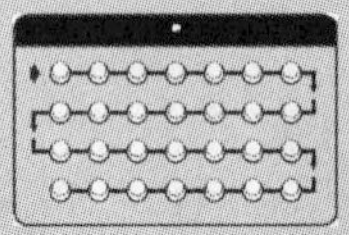

3. **与未感染的性伴性交时使用任何一种计划生育措施**

其他备选措施
（下例尤适合青少年）

4. **其他安全形式的亲昵接触**

5. **到自己准备好时再开始性生活**

为加强保护，避免 STI/HIV，应减少性伴数量：只有一个未感染的性伴是最安全的

处于性活跃期的男性和女性常常需要避孕与预防 STI/RTI 的双重保护，通过单一措施(使用安全套)或者包括使用安全套在内的综合措施间的结合可达到双重保护的效果。框 6.1 介绍了几种双重保护的方法，以及需要与就诊者讨论的问题。

对只用安全套避孕的就诊者，应提供紧急避孕措施以备安全套破裂等紧急情况下使用(第 50 页)。

第二步：发现 STI/RTI

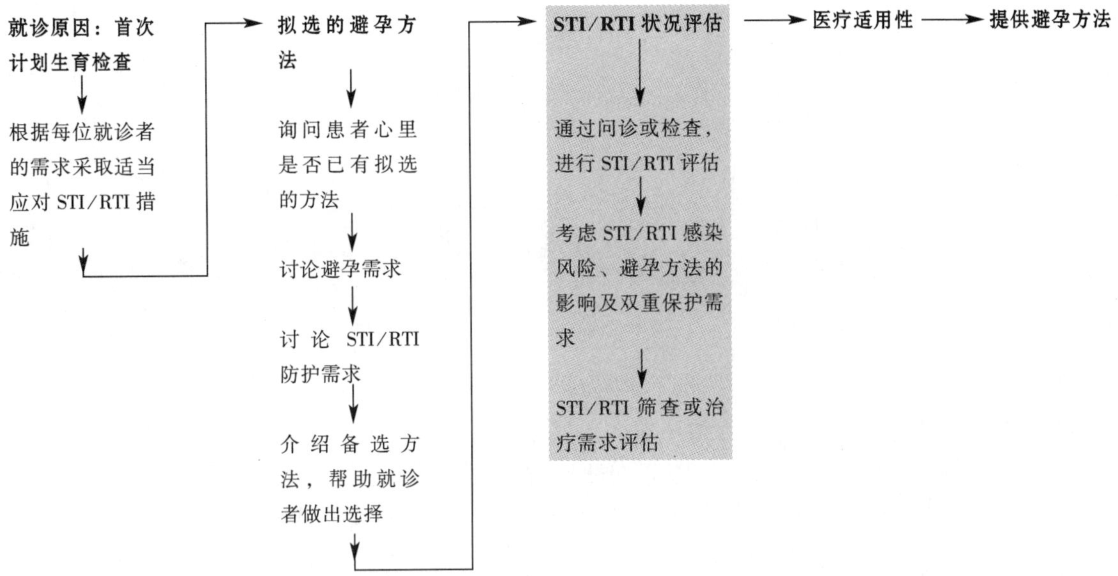

通过询问和/或做检查进行 STI/RTI 评估。女性选定一种或几种避孕措施之后，需要进行评估，看是否还需要更为全面的妇科检查或实验室检查来确定是否有感染。医务人员在问诊时，应注意是否有阴道分泌物异常、生殖器溃疡、下腹痛，以及性伴是否有 STI 症状等。对有上述症状的患者可用第八章的流程图进行处理。

除放置宫内节育器(排除妊娠和感染，确定子宫大小、形状和位置)，阴道隔膜或子宫帽(器械需匹配)和绝育(评估子宫的大小、位置和活动度)外，其他避孕措施均不需进行盆腔检查。但是，阴道窥器和双合诊检查可有助于 STI/RTI 评估并发现某些无症状感染(第三章)。

综合考虑 STI 的感染风险，避孕措施的影响以及对双重保护的需求，就诊者可能改变自己先前的选择，或增加安全套的使用，以增强 STI 的保护力度。有一点需要牢记，STI 的感染风险是难以进行准确评估的，即使评估**结果为阴性，也不代表不需要采取保护措施**。

STI/RTI 筛查或治疗需求评估 STI/RTI 的诊断和筛查视医疗资源的多少而定。有症状的女性可不需接受实验室检查而直接进行治疗(第八章)。但在条件许可的情况下，计划生育初诊中可开展常见无症状 STI 的筛查，例如宫颈感染、梅毒和 HIV 感染(第三章)和其他的“健康女性”筛查，例如宫颈抹片等。在 STI/RTI 筛查/检查后，就诊者可能会重新考虑原来的避孕方法，以便进一步加强 STI 防护。

STI/RTI 感染者可以使用大多数的避孕方法。对感染者，医务人员应积极开展治疗或转诊，以及预防再感染的咨询(第二章、第四章)。STI 治愈之后，才能使用诸如放置宫内节育器或绝育手术等计划生育措施，或依照国家出台的相关规定进行处理。治疗期间，建议女性使用安全套，可能的话加用另一种避孕措施。

第三步：医疗适用性评估

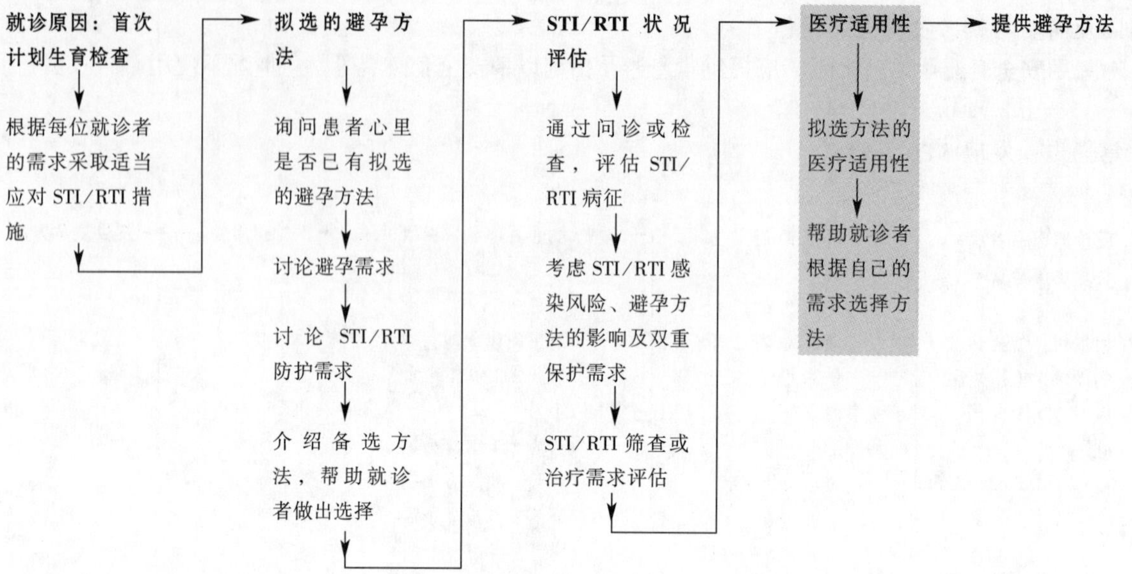

讨论拟选方法的适用性 接下来要评估拟选的方法是否适用。目前，在多个国家使用的、世界卫生组织制订的医学适用标准(MEC)，可以帮助医务人员判断在什么情况下要慎用某些避孕措施、在什么情况下应特别的注意。例如，STI/HIV的感染风险可能影响到宫内节育器或杀精剂的适用性。

第四步：避孕方法的选择和使用

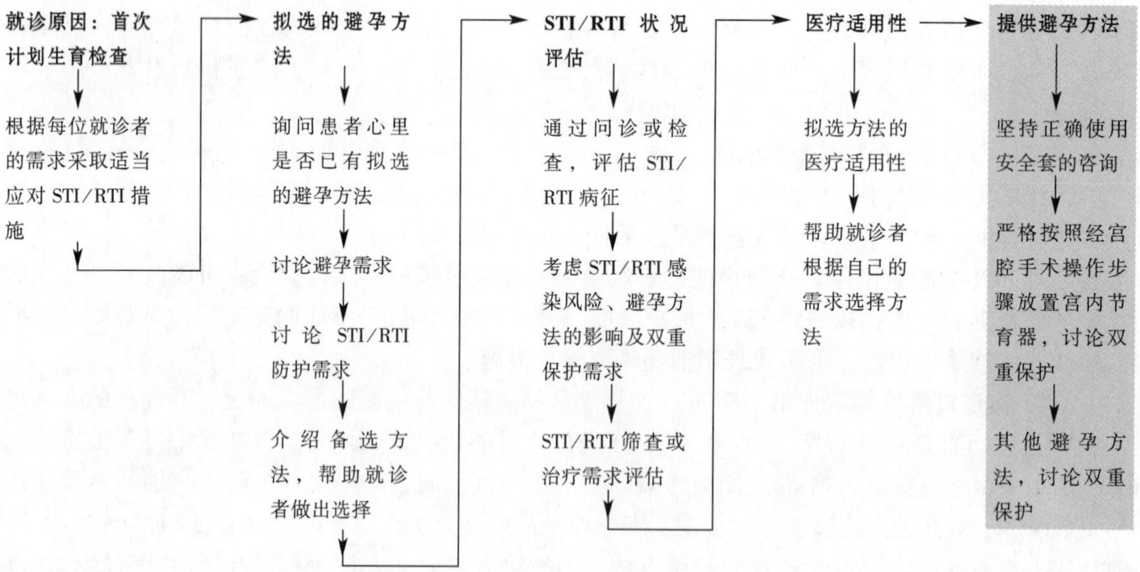

最后一步是**提供避孕方法**。若就诊者选用安全套，就应得到安全套咨询、使用方法演示和使用技能培训，确保自己和性伴能够正确持久地使用(第二章、第四章)；若该女性患有宫颈感染，则不可放置宫内节育器，第二章介绍了如何安全安置宫内节育器。除安全套使用之外的其他方法并不能有效预防STI，因此，在咨询时，应强调使用两种措施来增强STI防护。

复诊

就诊者可因多种原因到生殖健康门诊接受随访检查，包括：

- 避孕措施相关问题评估；
- STI/RTI 症状检查；
- 避孕措施的常规随访；
- “健康女性”常规检查。

无论是出于何种原因，随访都是医务人员评价避孕措施的大好时机，特别在了解就诊者避孕和 STI/RTI 防护需求方面。医务人员应询问就诊者是否有 STI/RTI 感染的症状，以及对 STI/RTI 防护的需求是否已发生了改变。第八章介绍了有症状 STI/RTI 患者的处理方案，第三章提出了一些在定期随访检查中适用的 STI/RTI 筛查备选方案。每一次随访都是提供 STI/RTI 宣传教育与咨询的机会。

计划生育措施与 STI/RTI

大多数计划生育措施并不能预防 STI。表 6.1 评估了一些常见计划生育措施在避孕与预防 STI 方面的有效性。有的避孕措施甚至会增加发生非性传播 RTI 或并发症的危险，患者可能因为避孕措施的副作用而放弃使用(将带来了妊娠的危险)。譬如，酵母菌感染在口服避孕药避孕的女性中相当常见；使用带有杀精剂的阴道隔膜的妇女中细菌性阴道病发生得更为频繁。医务人员应了解这些情况，并向患者提供治疗和替代避孕方法的咨询。

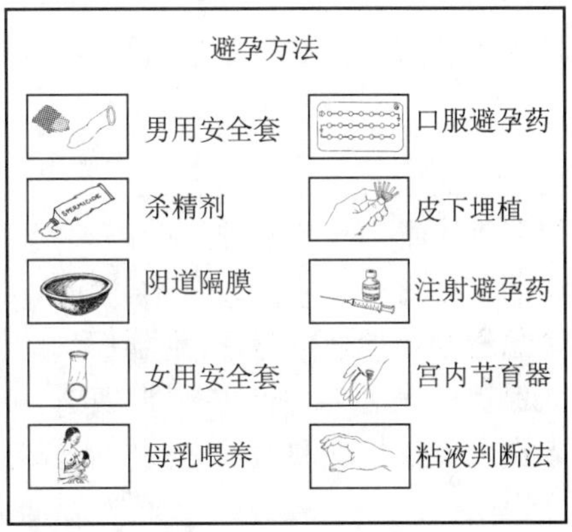

表 6.1　计划生育措施：避孕与 STI 预防

措　施	避孕有效性[a]	预防 STI
男用安全套	85%～98%	对包括 HIV 在内的大多数 STI 具有保护作用；对经皮皮接触传播的感染(单纯疱疹病毒、人类乳头状瘤病毒）的保护作用未经证实
女用安全套	79%～95%	实验室研究显示对 STI/HIV 感染具有保护作用；尚需更多人体研究证据
杀精剂	71%～85%	对细菌性 STI 可能具有保护作用；对病毒性 STI 和 HIV 感染无保护作用；可增加 HIV 感染风险
阴道隔膜(带有杀精剂)	84%～94%	对细菌性 STI 可能具有保护作用；增加细菌性阴道病发生风险；对 HIV 感染的保护作用不明；对宫颈肿瘤发生具有保护作用；使用杀精剂可增加 HIV 感染的风险
口服避孕药	92%～>99%	对下生殖道感染无保护作用；降低有症状盆腔炎发生的风险；对病毒性 STI 和 HIV 感染无保护作用；酵母菌感染更为常见
皮下埋植	>99%	对细菌性或病毒性 STI 和 HIV 感染无保护作用

续 表

措 施	避孕有效性[a]	预防 STI
注射避孕药	>99%	对下生殖道感染无保护作用；降低有症状盆腔炎风险；对病毒性 STI 和 HIV 感染无保护作用
宫内节育器	>99%	对细菌性或病毒性 STI 和 HIV 感染无保护作用；与放置宫内节育器后第一个月内盆腔炎的发生有关
手术绝育（输卵管和输精管结扎	>99%	对下生殖道感染无保护作用；降低有症状盆腔炎发生的风险；对病毒性 STI 和 HIV 感染无保护作用

[a]正常使用时的有效性

双重保护作用和紧急避孕

只有坚持正确使用安全套才能提供可靠的 STI 防护，因此，推广使用安全套应始终被包括在双重保护的咨询中。只要持续、正确地使用，安全套还有良好的避孕效果。需要其他避孕措施的夫妇可将安全套与另一避孕措施结合使用，或者在安全套使用不正确或失败时，用紧急避孕作为后备避孕措施。框 6.2 介绍使用各种紧急避孕药进行紧急避孕的方法，其中包括常见的一些口服避孕药。

框 6.2 紧急避孕药的使用

很多国家都有用于紧急避孕的药物。常规的避孕药物也可用于紧急避孕。每一品种或品牌的避孕药物都含有不同量的激素，因此，每次用药量也就可能不同。

紧急避孕药的使用方法：推荐使用的紧急避孕药应只含有**左炔诺孕酮或雌激素——孕酮，**并且在无保护性交后 72 小时内尽早使用。这类药也可在无保护性交后 72～120 小时间应用，但应告之患者在无保护性交和服药之间的间隔越长，则药效越低。

	剂 量
只含左炔诺孕酮的紧急避孕药	一次服用两片只含孕激素的紧急避孕药（共含有 1.5mg 左炔诺孕酮）或两片 0.75mg 左炔诺孕酮（间隔 12 小时）
紧急避孕合剂	首剂服用 2 片（每片含 50μg 炔雌醇），12 小时后照此剂量再服一次
小剂量复方制剂	首剂服用 4 片小剂量避孕药（每片含 30μg 炔雌醇），12 小时后照此剂量再服一次
大剂量复方制剂	首剂服用 2 片大剂量避孕药（每片含 50μg 炔雌醇），12 小时后照此剂量再服一次

紧急避孕药可能引起恶心和/或呕吐症状，但在只含孕激素的紧急避孕药（左炔诺孕酮）中较少见。建议妇女在服用合剂的同时吃一些东西，或者在服药前服用镇吐药物。若在服药后两小时内出现呕吐，应立刻服用另一剂。

含铜的宫内节育器是最有效的紧急避孕措施：在无保护性交后五天内都可放置。在长期使用宫内节育器前，需检查是否符合宫内节育器的医疗适用标准。若符合，可将其作为长期避孕措施或在下次月经时取出。

宫内节育器

除非无其他更合适的避孕方法或无法接受其他方法，对暴露淋病或衣原体感染风险高的女性不建议使用宫内节育器。框 6.3 介绍了在宫内节育器放置过程中，防止医源性感染应注意的事项。

框 6.3　减少放置宫内节育器引起的医源性感染

- 大多数因宫内节育器放置而引起的盆腔炎都出现于放置后的一个月内，严格按照经宫颈手术操作的注意事项可减少此风险的发生(见第二章)
- 避免不必要的宫内节育器取出或再放置。如，含铜的 T380A 型节育器避孕效果长达 10 年。不同的宫内节育器有效期不同，医务人员和使用者需了解所选节育器的有效期

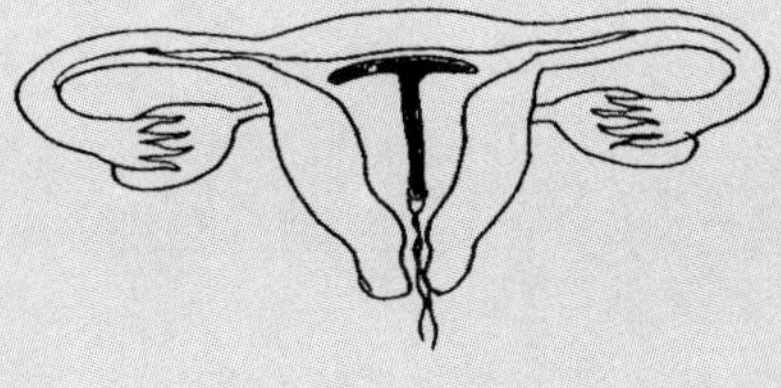

所有出现宫颈感染体征(宫颈脓性分泌物或宫颈脆性)的女性都应按照治疗表 2(第八章)进行淋病和衣原体感染的治疗，性伴也应接受治疗。宫内节育器的放置在宫颈感染治愈后方可进行。此外，还应对病人提供双重保护方面的咨询。

对有下腹痛、子宫压痛、附件疼痛或宫颈举痛的女性应按照第八章的治疗表 3 进行盆腔炎治疗，并给予替代避孕措施方面的咨询(强调双重保护)。除非无其他避孕方法可用或无法接受其他方法，对暴露淋病或衣原体感染高风险的女性不建议使用宫内节育器。

若在使用宫内节育器的过程中出现盆腔炎、宫颈炎有脓性分泌物、衣原体感染或淋病，而希望继续使用宫内节育器者，治疗过程中不需将宫内节育器取出。

杀精剂与含杀精剂的阴道隔膜

HIV 易感者或已感染 HIV 的女性不应使用杀精剂。反复大剂量使用壬苯醇醚 - 9 杀精剂可增加生殖器的损伤，而生殖器损伤可增加 HIV 感染的风险。除非无其他更适宜的避孕方法或无法接受其他方法，HIV 易感者或已感染 HIV 的女性不应使用含杀精剂的阴道隔膜。

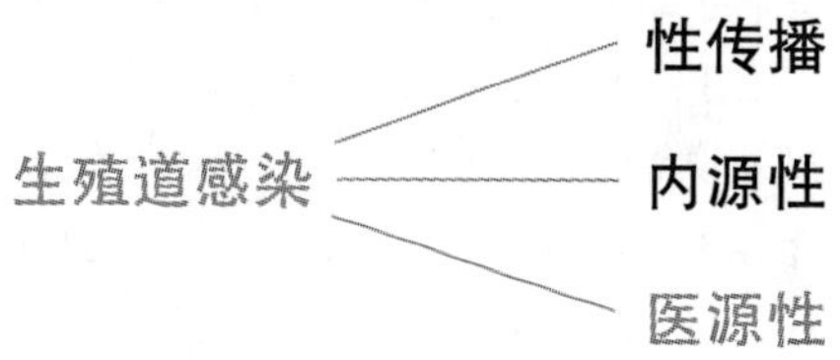

第七章 孕期、分娩和产后期 STI/RTI 评估

要 点

● 鼓励女性在怀孕后**及早到产前门诊就诊**，以便及时发现和预防包括 STI/RTI 在内的各种问题。

● 女性应在首次产前就诊时接受**梅毒**筛查。筛查应就地进行，并保证女性在离开门诊前就可拿到结果，获得相应治疗。

● 有条件的，还应提供**其他 STI/RTI** 筛查，包括宫颈感染、细菌性阴道病和 HIV 感染。

● 在每次产前检查时，都应询问女性及其性伴有无 **STI 症状**；针对有症状的 STI、梅毒和 HIV 感染者，要向其**性伴**提供筛查和/或治疗。

● 加强孕期 **STI 预防**，保障母婴安全，保护生育能力

● 应在现场或通过转诊获得 HIV 咨询检测、预防母婴传播知识以及孕产妇保健

● 对所有新生儿都应进行**新生儿眼炎**的常规预防

孕期 STI/RTI 防治同样重要。这一时期女性的性行为和感染途径可能会发生改变。包括梅毒、淋病、衣原体感染、滴虫病、生殖器疱疹和 HIV 感染等在内的多种 STI 都可引起孕期并发症，造成不良妊娠结局。在内源性感染中，细菌性阴道病与早产有关，而酵母菌感染虽不会引起任何**不良妊娠结局，**但它在孕期更为常见，感染后症状相当不适。所以，女性孕期应及时接受相应的 STI/RTI 治疗。**上生殖道感染**可能是自然流产、人工流产或胎膜早破的并发症，也可能在分娩后发生并威胁生命。

从技术上讲，防治包括流产后感染、产后感染以及先天梅毒在内的一些最重要的孕期 STI/RTI，并不困难花费也不高。但若不加以防治，这些问题造成的围产期疾病和死亡却很多。利用现有技术对孕期医疗服务进行简单的改进，比如在门诊当日提供就地的梅毒筛查，可以在很大程度上改善妊娠结局。对有症状细菌性阴道病的治疗可降低早产风险，而产后和流产后感染防治都可以减少产妇疾病和死亡的发生。

育龄妇女应了解及早接受产前检查和 STI/RTI 筛查的重要性。医务人员应向育龄夫妇提供关于早产、安全性行为和避免与他人发生性关系的咨询。

产前检查为 STI/RTI 防治提供了机会，所以应鼓励孕期妇女及早就诊。世界卫生组织推荐对无并发症妊娠妇女进行 4 次产前保健检查。框 7.1 详细介绍了世界卫生组织产前检查模式，并附有一份清单，其中包含了基本的产前保健服务内容，以及在什么情况下需要其他保健服务。

框 7.1　世界卫生组织推荐的产前检查模式

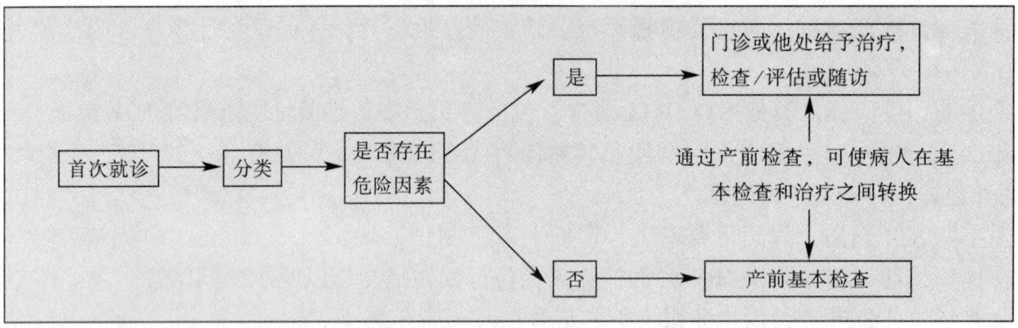

出处：《世界卫生组织产前随机试验：新模式应用手册》，日内瓦，世界卫生组织，**2002**

步骤 1：妊娠首次评估检查

妇女可能在怀孕后三个月到分娩期间的任何时间到产前门诊接受产前检查，并在临产前可能不再到门诊复诊。因此，应充分利用首次检查的机会，在检查时也应考虑到 STI/RTI 的防治。

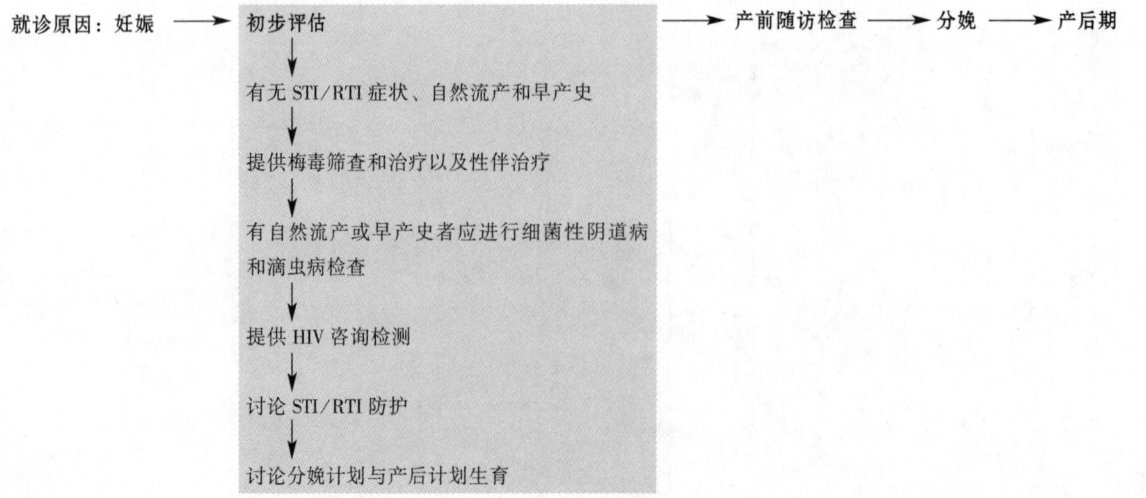

以下是首次产前检查时，应涉及的基本 STI/RTI 评估内容：

• 受检者是否有 STI/RTI 症状，以及性伴是否有异常尿道分泌物或其他症状。如果她或性伴有症状，应使用第八章中的流程图进行治疗。

• 应及早接受 RPR 试验或等同的非梅毒螺旋体抗体试验等梅毒血清学检验(第三章)。如可能应就地进行检验，并在就诊者离开门诊前提供检验结果和治疗。鼓励性伴治疗，并给予积极的帮助。

• 对有自然流产史或早产史的妇女应进行细菌性阴道病和滴虫病的筛查。筛查结果阳性者使用甲硝唑进行治疗(妊娠首三月后)，每次 500mg，每日三次，用药 7 天，以减少不良妊娠结局发生的风险。

• 应就地或通过转诊获得 HIV 咨询检测。检查结果阳性者应转诊到相应机构，并向其提供减少母婴传播风险的建议(框 7.1)

• 应在强调保障健康妊娠、保护生殖能力的前提下与受检妇女及其性伴进行预防 STI(包括 HIV 感染)的讨论。

• 应在妊娠早期进行分娩计划和产后期问题的讨论。HIV 或 HSV－2 等病毒性 STI 感染可影响分娩计划。在考虑产后计生措施时应综合预防 STI/RTI 需求。

步骤 2：产前随访检查

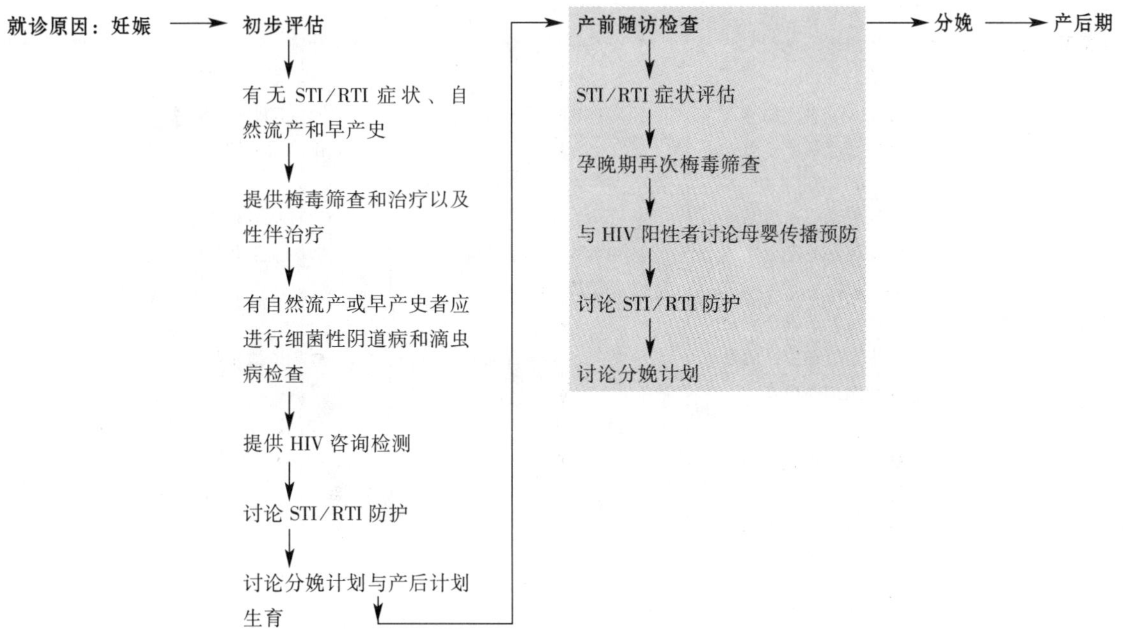

鉴于感染风险始终存在，女性复诊随访检查时应注意 STI/RTI 防治。与首次检查时一样，应询问妇女及其性伴是否有感染症状，所有有症状的 STI/RTI 患者都应使用第八章和第九章中的流程图加以处理。

• 如可能，应在妊娠后期再进行一次梅毒筛查，以明确孕期是否发生感染(第三章)。所有女性在每次妊娠过程中至少要接受一次梅毒检测，结果阳性者都应接受治疗(治疗过梅毒的女性检查结果分析见附录三)。

• HIV 阳性妇女，产前管理因随访方案而定。医务人员应与之讨论分娩计划、新生儿喂养和产后避孕等问题。

• 应强调 STI/RTI 的预防：孕产妇及其性伴应认识到，无论之前已接受了何种治疗，在妊娠后期感染的 STI 可引起妊娠并发症和先天感染。提供安全套。性伴治疗时，安全套作为保证安全分娩和新生儿健康的防护措施较易被接受。

框 7.1　HIV 与妊娠

HIV 母婴传播是全球儿童 HIV 感染的主要原因，每年有超过 50 万的儿童受到感染。若不采取干预措施，40% 的 HIV 阳性妇女所生婴儿都会受到感染。感染可发生在孕期，分娩以及母乳喂养过程中。为预防母婴传播，孕妇和性伴应尽早进行 HIV 咨询检测。

HIV 阳性妇女和未感染 HIV 的妇女所接受的产前检查内容基本相同。由于数种 STI/RTI 会增加生殖道分泌物中 HIV 病毒的含量，从而增加分娩时胎儿感染的风险，因此发现和治疗 STI/RTI 是很重要的。对于提示有机会性感染或 STI/RTI 的症状和体征应特别注意。应避免羊膜腔穿刺术等侵害性的操作。

除接受抗病毒治疗之外，感染 HIV 的妇女在分娩过程中不需要接受其它不同治疗或者被隔离起来。医务人员应对所有的患者都采取全面防护措施以减少 HIV 和其他感染传播的风险，而不仅局限于已知的 HIV 感染者(见附件二)。

产后期应对 HIV 阳性妇女给予特别关注，更多的关怀、咨询和支持都对她们有益，此外，她们还可能在新生儿的替代喂养方法方面需要帮助。这些妇女应被转诊至专门的支持机构。

步骤 3：分娩

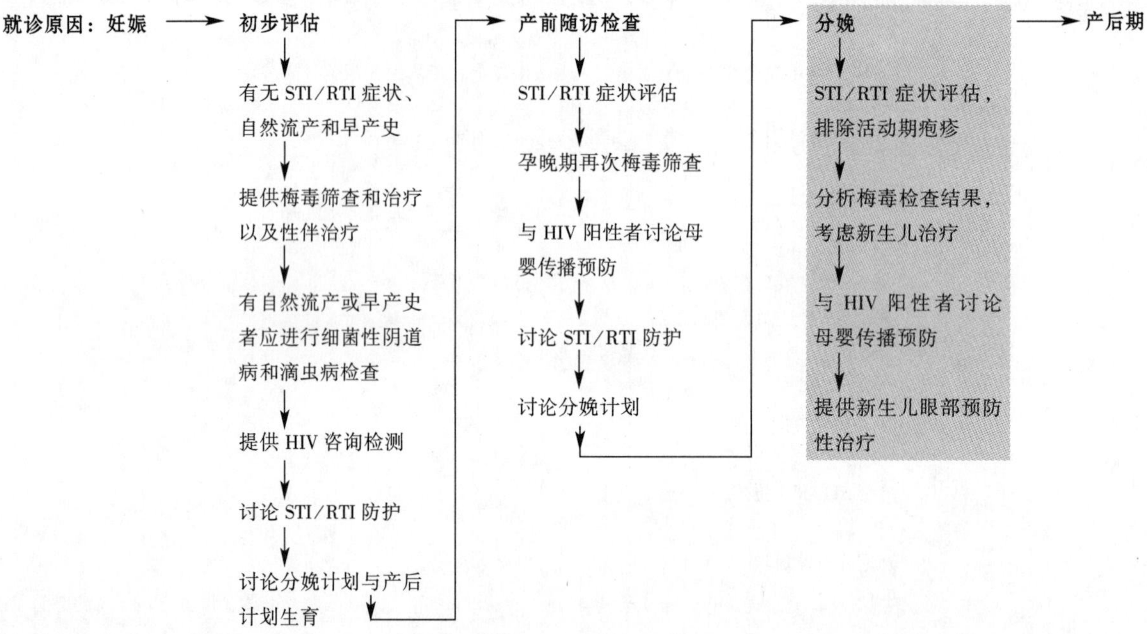

分娩期的 STI/RTI 很少见，但可能十分重要。发现产前未被发现的感染，采取新生儿 STI/RTI 防治措施是分娩期 STI/RTI 防治的目的(框 7.3)。

- 寻找感染体征。大多数 STI/RTI 都不是急症，可在分娩后再进行治疗。分娩前期出现水疱和溃疡，提示**生殖器疱疹**(原发性 HSV－2 感染)的发生，可能需进行剖宫产，因为经阴道分娩，新生儿有发生播散性疱疹和死亡的危险。若无法行剖宫产或不安全，在非紧急的情况下应考虑转诊至上级医院。若胎膜破裂超过六小时，剖宫产无益。
- 出现**生殖器疣**，哪怕是广泛性的，也不成为剖宫产的适应证
- **胎膜早破**和分娩前胎膜破裂需认真处理，减少感染风险(第九章)
- 根据当地的治疗条件对**感染 HIV 的妇女进行处理**(包括给予抗逆转录病毒治疗)

所有分娩过程都须遵循全面防护的要求(框 7.2)

框 7.2 分娩时全面防护

无论产妇是否感染 HIV 或 STI/RTI，建议分娩时使用以下防护措施。

- 戴手套，操作之间认真洗手，分娩过程中使用的所有器械/设备全部行高水平消毒或灭菌。
- 遵照分娩操作步骤，避免不必要的阴道检查，尽量减少创伤，积极处理第二产程。外阴切开术不应作为常规措施，仅在有产科指征时使用。需助产时应尽量减少创伤。
- 剪断脐带时用纱布轻轻裹住，避免血液喷出。除非有胎粪病征，不得用鼻胃管给新生儿进行气道抽吸。应避免用口抽吸。
- 无论产妇是否感染 HIV，产妇血液与分泌物清洁干净前，都应戴手套接触新生儿。初生时，用肥皂水洗净产妇血液与胎粪。产后应注意胎儿保暖。

框 7.3 新生儿 STI/RTI 防治

1. 新生儿眼炎的预防

无论产妇是否有感染症状或体征，所有新生儿都应进行针对淋球菌或衣原体感染引发的新生儿眼炎的预防性治疗。下面列出了一些眼膏和滴眼液。

新生儿眼炎的预防方法

出生 1 小时内双眼各点一滴下列某种药物

- **四环素眼膏**(1%)一次

或

- **碘液**(2.5%)一次

或

新鲜配制的硝酸银水溶液(1%)一次

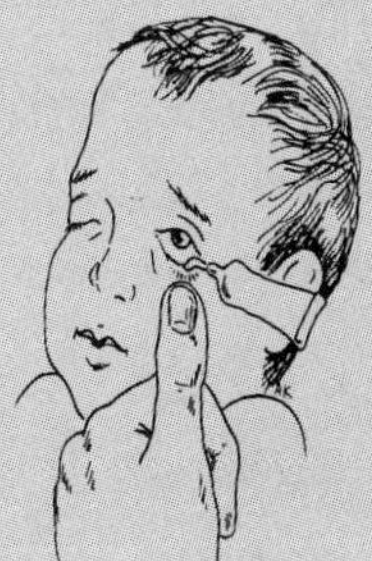

2. 先天性梅毒

应参考**梅毒**检查结果，对新生儿进行先天性梅毒体征检查。先前尚未接受梅毒检查的女性应接受检查，并尽快得出结果，以便对母亲结果阳性的新生儿及早进行治疗。无论产妇在孕期是否已经接受梅毒治疗，新生儿都应按照表 7.1 进行处理。产妇及其性伴还未接受过治疗的也应进行治疗。

表 7.1 新生儿梅毒治疗(出生后一月)

	母亲 RPR/VDRL 检查结果		
	阳 性	不 明	阴 性
		产妇检测	产妇再次检测
新生儿有先天性梅毒体征[a]	用**方案** 1 **或** 2 进行治疗	在等待结果（若结果延迟）的过程中，开始用方案 1 或 2 治疗 • 阳性，继续治疗 • 阴性，调查其他原因并修改治疗方案	
新生儿无先天性梅毒体征[a]	用**方案** 3 进行治疗	产妇检测	不治疗

方案 1	**水剂青霉素** G，每天每公斤体重 100000～150000 单位，用法：头 7 天每 12 小时按每公斤体重 50000 单位肌注或静滴，之后按每 8 小时一次治疗，共 10 天。
方案 2	**普鲁卡因青霉素**，按每公斤体重 50000 单位，每天肌注一次，共 10 天。
方案 3	**苄星青霉素**，按每公斤体重 50000 单位，单次肌注。

a 先天性梅毒体征：手掌及足底水疱疹，肝脾肿大，假性瘫痪，水肿/腹水，发热（出生后 1 周内），长时间或复合高胆红素血症，淤斑，出血，梅毒面容。出生时新生儿常没有任何症状。

步骤 4：产后检查

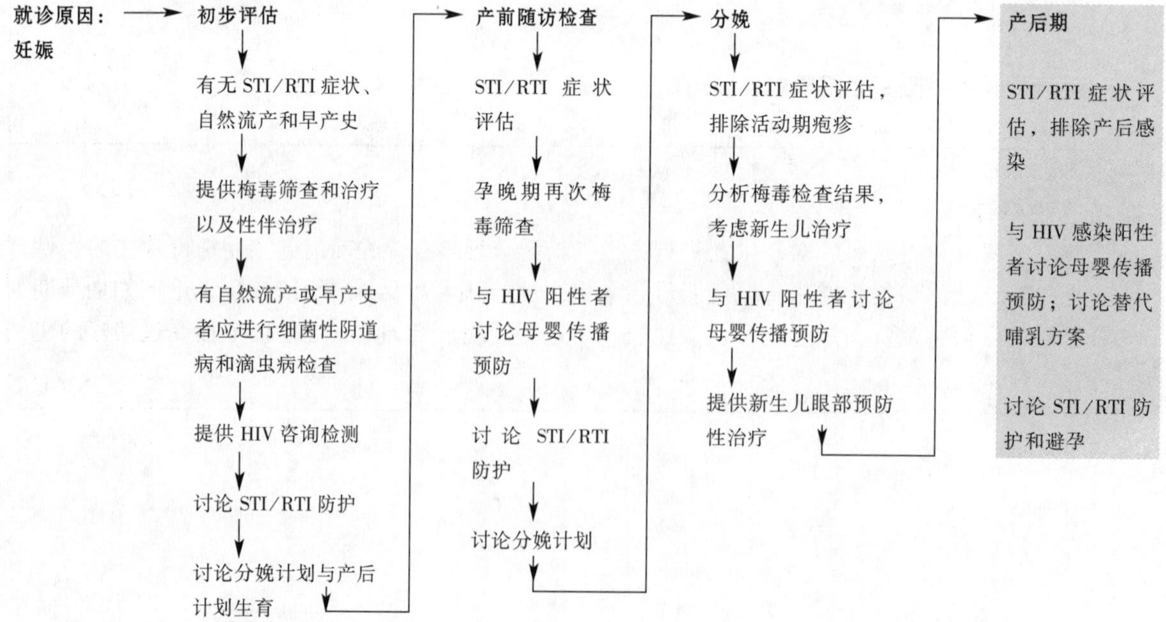

分娩后，STI/RTI 防治与孕期同样重要。产后子宫感染很常见，并可能威胁生命，及早发现和有效治疗是预防并发症的重要手段。所有女性在产后都很容易受到感染，分娩后的残血和胎盘组织还会增加感染的危险。其他感染危险因素还包括产程过长、胎膜破裂过久和分娩过程中的手术操作。第九章中介绍了对产后感染的处理。

产妇应该在分娩后十二小时内接受检查。在离开医疗机构时，应说明女性如有发热、下腹痛、分泌物恶臭或异常出血等症状，应立即复诊。应向她们提供关于会阴和乳房护理的信息，并告知对恶露和带血的护垫等具有潜在传染性的物品的正确处理方法。医务人员应对发热、下腹痛或下腹压痛以及分泌物恶臭等感染体征保持警觉。

- HIV 阳性妇女需要进一步的照料，包括治疗和替代哺乳方案的支持
- 若分娩前没有讨论避孕的问题，应在产后期及早进行讨论。此时，应考虑到 STI/RTI 防护需求(见第六章)。在产后选择使用长效避孕方法(如 IUD)的女性，还应与其讨论双重保护的问题。

第三部分 STI/RTI 管理

第一部分概述了 STI/RTI 及其并发症的基础知识，包括 STI/RTI 的传播和处理。此外还回顾了医务人员在 STI/RTI 防治中所需的基本技能与知识。

第二部分概述了在生殖健康服务中 STI/RTI 的处理经验。此外还提及了接近男性、青少年和其他不常使用生殖健康服务人群的方法。

第三部分涉及 STI/RTI 的处理——如何诊断与治疗 STI/RTI，包括流程图和治疗表。这部分以“解决问题”为导向进行编写，以便读者快速获取信息。

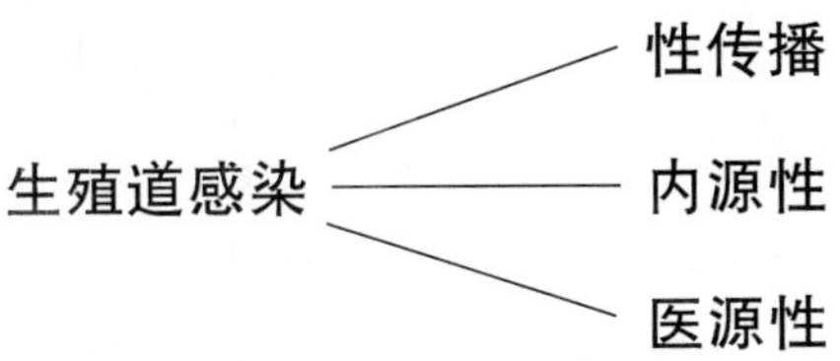

第八章　有症状 STI/RTI 患者的处理

要　点

● 出现**阴道分泌物异常**的女性应接受常规阴道感染(细菌性阴道病、滴虫病等)的治疗。若出现酵母菌感染的临床体征时还应增加相应的治疗措施。

● 出现**下腹痛**的妇女应接受淋病、衣原体感染和厌氧菌感染的治疗。若感染严重或伴有其他危险体征，应考虑住院治疗或转诊。

● 有**生殖器溃疡**的女性和男性应接受梅毒与软下疳的治疗。在Ⅱ型单纯疱疹病毒流行地区，还应增加对生殖器疱疹的处理，有条件的还应包括抗病毒治疗。

● 有异常**尿道分泌物**的男性应接受淋病、衣原体感染治疗。性伴尿道分泌物异常的女性也应接受治疗。

● 对所有有症状的患者都应提供关于治疗依从性、降低风险和安全套使用的**咨询**。

● 应向有生殖器溃疡或异常尿道分泌物患者的**性伴**提供治疗。应向接受盆腔炎或宫颈炎治疗的女性性伴提供咨询和治疗。

● 若患者完成全程治疗并感觉症状有所改善，对大多数病征都不需要进行常规**随访**检查。接受盆腔炎治疗的女性在开始治疗后的 2～3 天应进行复查，若出现发热症状须提早复查。

本章内容涉及对出现症状 STI/RTI 患者的处理，或在医务人员诊治其他医疗问题发现可能的感染体征时，对 STI/RTI 患者的处理。**症状**是指病人自己感觉到的，而**体征**是由医务人员注意到的问题(病史采集与体格检查见附件一)。以下三种情形在临床上十分常见：

● 患者就诊，并**伴有** STI/RTI **症状主诉**；

● 当医务人员问及时，病人说出一些症状(**询问得到症状**)；

● 医务人员出于其他目的对病人进行检查时，发现 STI/RTI **体征**。

医务人员应能在上述不同的情形中识别 STI/RTI 症状与体征，并了解何时区分 STI 与非 STI。尽管大多数有症状的女性 RTI 并非经性途径传播，但出现 RTI 症状的女性仍可能担心自己所患的是 STI。此外，医务人员与病人都应了解，STI/RTI 常常不出现症状，而没有症状并不代表没有感染。在有条件的地方还应进行无症状 STI/RTI 筛查。

STI/RTI病征处理

很多STI/RTI都可以通过典型的症状和体征进行鉴别和治疗。症状与体征可被概括为**病征**，常见的病征为上呼吸道感染、胃肠道炎症以及阴道分泌物异常等。但是，通常我们很难知道某一病征是由哪种具体的微生物引起的，因此治疗可能要针对数种可能的感染。

病征处理是指针对引起每种病征最常见的致病微生物，进行STI/RTI治疗的手段。在拥有良好实验设施的医疗机构，可进行更确定的病因学诊断，但这通常都相当麻烦。实验室检查需要耗费资源，增加治疗成本，可能需要病人多次复诊，并且**大多数情况下都会延迟治疗**。基于以上原因，即便是在拥有先进实验室设施的发达国家，病征处理指南在下腹痛、尿道分泌物以及生殖器溃疡等病征上已得到广泛应用(表8.1)。

世界卫生组织开发的**简易流程图**(也称**"实施步骤"**)以指导医务人员使用病征处理手段处理七种病征。本章介绍了其中的五种(阴道分泌物异常、下腹痛、生殖器溃疡、腹股沟淋巴结肿大和尿道分泌物)，供需要的生殖健康机构使用。其他与妊娠期STI/RTI有关的实施步骤见第九章。目前，病征处理手段已广泛地被运用于STI/RTI处理中，根据各国疾病流行情况、药物价格以及微生物抗药性的不同特点，实施步骤可有所不同。

表8.1 病征处理——优势与劣势

病征处理	说 明
男性**尿道分泌物**和男女**生殖器溃疡**的病征处理均有效且实用	淋病与衣原体感染是异常尿道分泌物的重要病因。梅毒与软下疳是生殖器溃疡的重要原因。 只要使用得当，医务工作者可以通过病征处理为有症状的病人提供十分有效的治疗。病征处理十分简易，只要有必要的药品，甚至可以在边远地区使用。而且，病征处理可通过及时治疗、治愈感染和打断感染链而预防新发感染
包括发达国家，女性**下腹痛**病征处理已得到广泛运用	淋病与衣原体感染是女性下腹痛的重要原因。 该法旨在为有盆腔炎症状的女性提供有效治疗。医务人员应认识到，用此方法处理的一些患者并不一定患有盆腔炎（假阳性）。但该治疗仍是适宜的，因盆腔炎可造成的严重后果，包括不孕和异位妊娠，它们常发生于盆腔炎未得到治疗或未及时治疗后
有**阴道分泌物**异常症状/体征女性的病征处理对阴道感染有效，但总体上对宫颈感染无效	阴道感染（细菌性阴道病、滴虫病和真菌感染）是阴道分泌物异常的主要病因。 阴道分泌物异常病征处理并不是被用来检出更严重，但常无症状的宫颈感染。目前，对淋菌性或衣原体性宫颈炎的准确检查需进行昂贵的实验室检查，这些检查在大多数医疗机构都没有（宫颈感染见第三章）。在某些特殊情况下，对宫颈感染进行治疗也是允许的

常见的病征处理

这一部分给出了一些常见病征的处理流程图。成功的STI/RTI病征处理不仅包括治疗，还包括预防再感染方法以及必要时性伴治疗的教育。为有效地实施这些措施，医务人员不应对病人进行道德上的评判，并须尊重病人。病史采集、体格检查以及咨询须在适当的，保障隐私和保密的环境下进行。以上这些基本的临床技能在附录一中都有介绍。

教育以及所需的深入降低风险的咨询都十分重要。尽管这些措施并未在流程图中出现，病人也应获得有关 STI/RTI 预防、治疗依从性以及必要时性伴处理的信息。本章末尾介绍了病征处理中，STI/RTI 预防方面的信息。教育与咨询详见第四章。

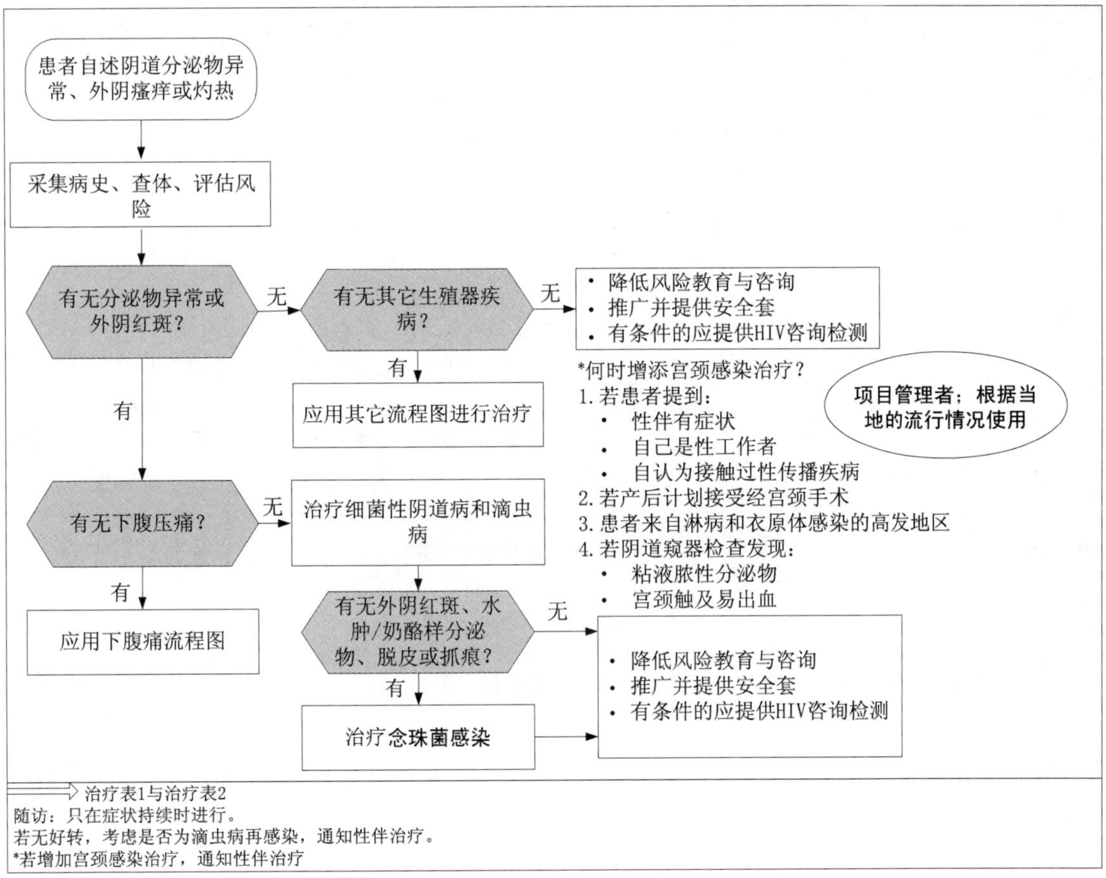

流程图 1　阴道分泌物异常(非孕妇)

阴道分泌物异常

主诉阴道分泌物异常，例如量、颜色或气味的异常，大都提示阴道感染或阴道炎。由细菌性阴道病(多种微生物)或酵母菌感染(白色念珠菌)导致的阴道分泌物异常并不通过性途径传播，而滴虫病(阴道毛滴虫)通常是经性传播的。少见的是，阴道分泌物异常由淋病(淋病奈瑟球菌)或衣原体感染(沙眼衣原体)引起的**宫颈炎**所致。第三章讨论了对伴有或不伴有阴道分泌物异常女性宫颈感染的检出问题。

所有出现阴道分泌物异常的女性都应接受细菌性阴道病和滴虫病的治疗。对临床证据确凿(白色、奶酪样分泌物、外阴和阴道发红和外阴瘙痒)时增加酵母菌感染治疗。酵母菌感染是孕期阴道炎的常见病因，第九章中给出了孕妇阴道分泌物异常处理流程图。

治疗表 1　阴道感染的推荐治疗方案

- 治疗**细菌性阴道病和滴虫病**

加

- 如果有奶酪样白色分泌物、外阴阴道潮红与瘙痒，增加对**酵母菌感染**的治疗

适用范围	**首选** 从 BV/TV 框中选择一种药物，如疑有酵母菌感染从每一框中选择一种药物	**有效的替代治疗**	**孕期或哺乳期妇女** 从 BV/TV 框中选择一种药物，或如疑有酵母菌感染从每一框中选择一种药物
细菌性阴道病（BV）	单剂口服**甲硝唑**[a]2g； 或口服**甲硝唑**[a]7 天，每天 2 次，每次 400～500 mg	2%**克林霉素霜剂**，就寝前阴道内应用一支（5g），连用 7 天； 或口服**克林霉素** 7 天，每天 2 次，每次 300mg	最好在妊娠 3 个月后用 口服**甲硝唑**[a]7 天，每天 3 次，每次 200～250 mg； 或阴道内应用 0.75%**甲硝唑凝胶**[a]，5 天，每天 2 次，每次一整支（5g）； 或口服**克林霉素** 7 天，每天 2 次，每次 300mg
滴虫病（TV）		单剂口服**替硝唑**[a]2g； 或口服**替硝唑**[a]5 天，每天 2 次，每次 500mg	
白念珠菌（CA）（酵母菌）	**咪康唑阴道栓剂** 200mg，每天 1 次，用 3 天； 或**克霉唑**[b] **阴道片剂** 100mg，每天 2 片，用 3 天； 或**单剂口服氟康唑** 150mg	**制霉菌素阴道片剂** 10 万单位，每天 1 片，用 14 天	**咪康唑阴道栓剂** 200mg，每天 1 次，用 3 天； 或**克霉唑**[b] 阴道片剂 100mg，每天 2 片，用 3 天； 或**制霉菌素**阴道片剂 10 万单位，每天 1 片，用 14 天

a 应告诫甲硝唑或替硝唑治疗的患者严禁饮酒。不推荐在孕期头 3 个月内使用甲硝唑。

b 某些地方可行单剂克霉唑（500 mg）治疗，这对酵母菌感染（CA）同样有效。

宫颈感染

宫颈感染发生可能性较高或出现并发症风险较高时，应对宫颈感染进行治疗(见第三章“宫颈感染”及第二章“经宫颈手术操作”)。如疑有宫颈感染(如，患者性伴有异常尿道分泌物)，或者在窥镜检查中发现宫颈感染体征(粘液脓性宫颈分泌物和易出血)时，应增加宫颈感染治疗。治疗表 2 中介绍了宫颈感染的治疗方法。

治疗表 2　宫颈感染的推荐治疗方案

• 简单的**淋病**治疗
加
• **衣原体**治疗

适用范围	**首选** 从每一框中各选出一种药物(共计 2 种药物)	**有效的替代治疗**	**孕期，哺乳期或 16 岁以下者** 从每一框中各选出一种药物(共计 2 种药物)
淋病	单剂口服**头孢克肟** 400mg； 或**肌注头孢曲松** 125 mg	单剂口服**环丙沙星**[a,b] 500mg； 或肌注**大观霉素** 2g	单剂口服**头孢克肟** 400mg； **或肌注头孢曲松** 125 mg
衣原体感染	单剂口服**阿奇霉素** 1 g； 或口服**多西环素**[a] 7 天，每天 2 次，每次 100mg	**口服氧氟沙星**[a,b,c] 7 天，每天 2 次，每次 300 mg； 或口服**四环素**[a] 7 天，每天 4 次，每次 500 mg；或口服**红霉素 7 天，每天 4 次，每次** 500 mg	**口服红霉素**[d] 7 天，每天 4 次，每次 500mg； 或**单剂口服阿奇霉素** 1 g； 或口服**阿莫西林** 7 天，每天 3 次，每次 500mg

a 孕期和哺乳期禁止使用多西环素、四环素、环丙沙星、诺氟沙星和氧氟沙星。

b 在某些地区，如 WHO 东南亚和西太平洋地区使用喹诺酮时需考虑淋病奈瑟球菌的耐药性。

c 氧氟沙星在治疗衣原体感染的同时，也能治疗淋病。

d 因药物有关的肝毒性，孕期禁用红霉素丙酸酯；只可用红霉素碱或红霉素琥乙酯。

淋病的其他疗法请参见附录 4。

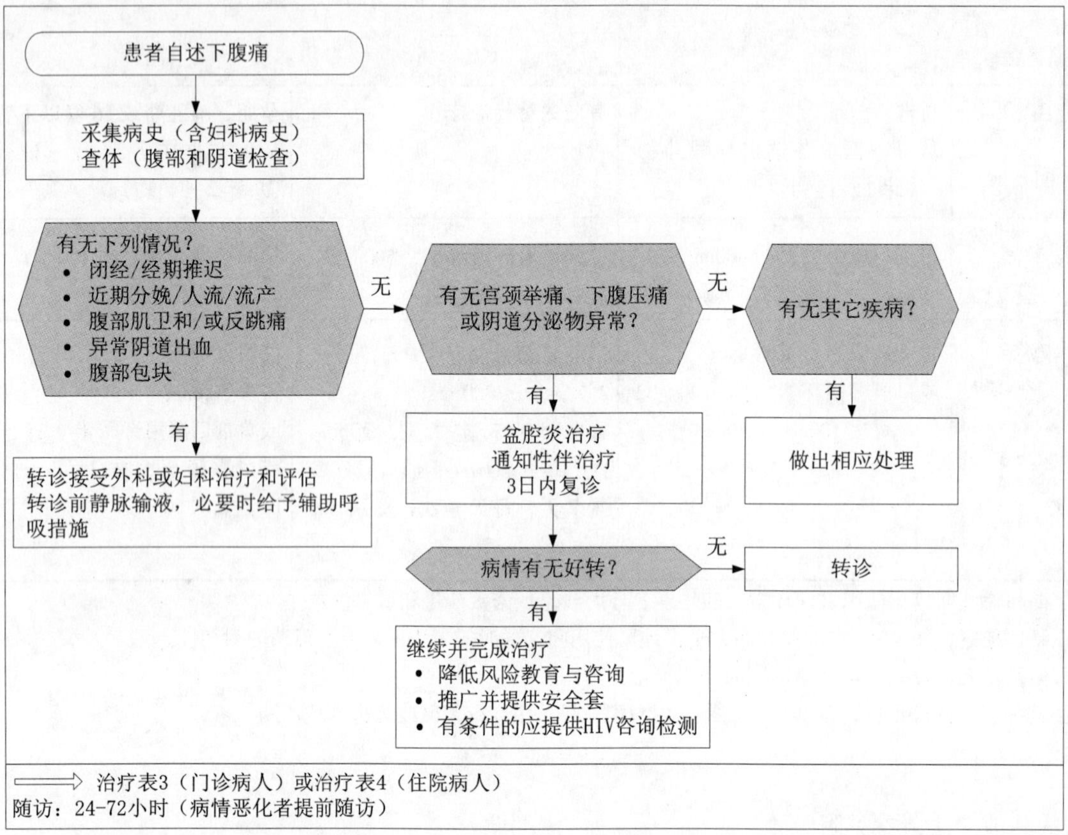
患者自述下腹痛
采集病史（含妇科病史）
查体（腹部和阴道检查）
有无下列情况？
• 闭经/经期推迟
• 近期分娩/人流/流产
• 腹部肌卫和/或反跳痛
• 异常阴道出血
• 腹部包块
无
有无宫颈举痛、下腹压痛或阴道分泌物异常？
无
有无其它疾病？
有
转诊接受外科或妇科治疗和评估
转诊前静脉输液，必要时给予辅助呼吸措施
有
盆腔炎治疗
通知性伴治疗
3日内复诊
有
做出相应处理
病情有无好转？
无
转诊
有
继续并完成治疗
• 降低风险教育与咨询
• 推广并提供安全套
• 有条件的应提供HIV咨询检测
治疗表3（门诊病人）或治疗表4（住院病人）
随访：24-72小时（病情恶化者提前随访）

流程图 2　下腹痛(女性)

下腹痛

所有处于性活跃期的女性若出现下腹痛，应仔细检查是否有盆腔炎体征。此外，由于有的患有盆腔炎的妇女无下腹痛主诉，在有条件的地方，存在其他 RTI 症状的女性应接受常规腹部检查与双合诊检查。提示盆腔炎的症状包括下腹痛、性交时疼痛(性交痛)、性交后出血或经期间出血，以及与月经有关的疼痛(若该疼痛为新发症状)，也可能出现阴道分泌物异常、排尿时疼痛(排尿困难)、发热、恶心和呕吐。

盆腔炎的临床症状差别甚大，并可能很轻微。当女性出现以下症状时就很可能患有盆腔炎，包括下腹痛、子宫或附件压痛、下生殖道感染征象、以及宫颈举痛，单侧或双侧输卵管膨大或硬化、质软的盆腔包块，以及腹部压痛和反跳痛，病人也可出现发热症状但通常体温正常。

由于盆腔炎可造成严重的后果，医务人员应对其提高警惕并**对所有疑似病例都进行治疗**。一旦做出临床诊断即应立刻开始治疗，因为及时使用适宜抗生素可提高预防远期并发症的成功率。

盆腔炎的致病钧包括淋病奈瑟球菌、沙眼衣原体、厌氧菌、兼性革兰阴性菌和链球菌。鉴于临床上无法区分这些病原体且准确的微生物诊断很困难，治疗方案须针对多种病原体都有效。治疗表 3 与治疗表 4 中给出了数个推荐方案。

盆腔炎患者的性伴也应接受淋病与衣原体感染治疗(治疗表 8)。

注：其他下腹痛的原因也应加以考虑，如急性阑尾炎、尿路感染和异位妊娠，并在病史采集与体格检查时排除这些因素。

治疗表 3　盆腔炎门诊推荐治疗方案

• **淋病**单剂治疗 加 • **衣原体**单剂或多剂治疗 加 • **厌氧菌**治疗		
适用范围	**首选** 从每一框中各选出一种药物（共计 3 种药物）	**有效的替代治疗**
淋病	肌注**头孢曲松** 250 mg	单剂口服**头孢克肟** 400 mg； 或单剂口服**环丙沙星**[c]500 mg； 或肌注**大观霉素** 2 g
衣原体感染	口服**多西环素**[a] 14 天，每天 2 次，每次 100mg，或口服**四环素**[a]14 天，每天 4 次，每次 500mg	单剂口服**阿奇霉素** 1g，或口服**氧氟沙星**[c]7 天，每天 2 次，每次 300 mg，或口服**红霉素**[d]7 天，每天 4 次，每次 500mg
厌氧菌感染	口服**甲硝唑**[b]14 天，每天两次， 每次 400～500 mg	

a．妊娠期和哺乳期妇女禁用这些药物。孕期 PID 并不多见 －孕期和产后期子宫内膜炎及其有关的感染推荐疗法请参见第九章。

b．应告诫进行甲硝唑或替硝唑治疗的患者严禁饮酒。妊娠头 3 个月内应避免使用甲硝唑。

c．在某些地区，如 WHO 东南亚和西太平洋地区使用喹诺酮时需考虑淋病奈瑟球菌的耐药性。

d．因药物有关的肝毒性，孕期禁用红霉素丙酸酯；只可用红霉素碱或红霉素琥乙酯。

需要指出的是：急性盆腔炎患者出现下列情况时应考虑入院治疗：

- 无法排除外科急症时，如阑尾炎或异位妊娠；
- 疑有盆腔脓肿；
- 无法在门诊处理的严重疾病；
- 孕妇；
- 青少年；
- 患者无法使用或耐受门诊治疗；
- 门诊治疗无效。

治疗表 4　盆腔炎住院推荐治疗方案

<table>
<tr><td colspan="4">• 淋病治疗
加
• 衣原体感染治疗
加
• 厌氧菌感染治疗</td></tr>
<tr><td>适用范围</td><td>选项 1
从每一框中各选出一种药物（共计 3 种药物），并继续下述门诊口服治疗。</td><td>选项 2
用 2 种药物治疗，并继续下述门诊口服治疗。</td><td>选项 3
通常可行。用 3 种药物治疗，并继续下述门诊口服治疗。</td></tr>
<tr><td>淋病</td><td>肌注头孢曲松 250 mg，每天 1 次</td><td rowspan="3">静脉用庆大霉素 1.5 mg/kg，每 8 小时 1 次。
加
静脉用克林霉素 900 mg，每 8 小时一次。</td><td rowspan="3">静脉或肌注氨苄青霉素 2 g，然后每 6 小时用 1 克
加上
肌注庆大霉素 80 mg 每 8 小时一次。
加上
甲硝唑，500 mg or 100 ml，静注，每 8 小时一次</td></tr>
<tr><td>衣原体感染</td><td>多西环素[a,b] 100mg，口服或静注，一天 2 次，或四环素[b] 500mg，口服，一天 4 次</td></tr>
<tr><td>厌氧菌感染</td><td>甲硝唑 400～500mg，口服或静注，一天 2 次，或氯霉素[b] 500mg，口服或静注，一天 4 次</td></tr>
<tr><td colspan="4">对于所有三种选项，应在患者情况好转后继续治疗 2 天，然后以下述一种口服药物治疗 14 天：
口服多西环素[b] 100 mg，一天 2 次，或者
口服四环素[b] 500mg，一天 4 次。</td></tr>
</table>

a 静脉用多西环素很痛，且当患者可以经口服药时，它与口服途径相比没有任何优越性。

b 孕期或哺乳期妇女禁用。孕期盆腔炎并不多见——孕期和产后期子宫内膜炎及其有关感染的推荐疗法请参见第九章。

随访　盆腔炎门诊病人应在开始治疗 72 小时内进行随访(有发热症状患者在 24 小时内随访)，若病情没有改善则应入院。病人应在三日内出现明显的好转(退热、腹部压痛减轻、子宫、附件和宫颈举痛减轻)。三日内无好转的病人可能需入院治疗，进行其他检查或外科检查。

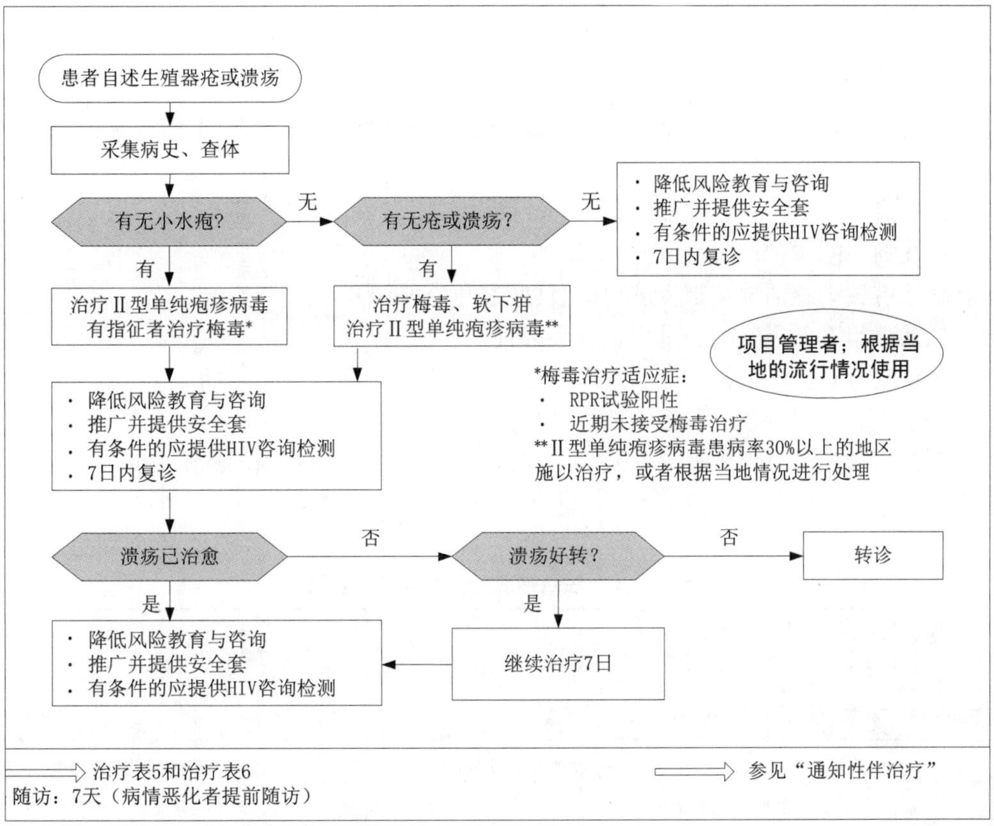

流程图 3　生殖器溃疡(男性与女性)

生殖器溃疡

在全球各地造成生殖器溃疡的病种各有不同，但生殖器疱疹、软下疳以及梅毒是最常见的。根据临床特征进行生殖器溃疡的鉴别诊断并不准确，尤其是在多种生殖器溃疡性疾病都很普遍的地区。而在 HIV 感染者中，生殖器溃疡性疾病的临床表现与病种也可能有差异。

当检查确诊存在生殖器溃疡时，应给予针对当地病因的相应治疗。例如，在同时有梅毒和软下疳流行的地区，当病人首次就诊时应同时针对两种疾病都进行治疗，以确保即使他们不再复诊也获得了适宜的治疗；在腹股沟肉芽肿流行地区，还应包括腹股沟肉芽肿的治疗。在全球很多地区，生殖器疱疹已成为生殖器溃疡最常见的病因。在 HIV 感染流行的地方，有越来越多的生殖器溃疡由单纯疱疹病毒引起。在 HIV 感染者当中，疱疹性溃疡(以及溃疡性 STI)可能是非典型性的并已持续了相当长的一段时间。虽然目前Ⅱ型单纯疱疹尚无法治愈，但使用阿昔洛韦等药物进行抗病毒治疗可缩短疾病活跃期，并有助于减少传染的发生。在药物缺乏地区，应首先治疗严重的Ⅱ型单纯疱疹病毒或带状疱疹感染患者，这两种感染都可能与 HIV 感染有关(框 8.1)。

在初诊时实验室检查对生殖器溃疡的鉴别诊断并无太大益处，甚至可能具有误导性。在梅毒流行严重的地区，即便患者当前的溃疡病因是软下疳或疱疹，也可由于既往感染出现血清学检查阳性。

生殖器溃疡的处理

- 治疗梅毒与软下疳。
- Ⅱ型单纯疱疹患病率在 30% 或以上的地区，提供包括Ⅱ型单纯疱疹病毒治疗在内的生殖器疱疹病征处理。
- 根据当地的流行病学特点，增加腹股沟肉芽肿和/或性病性淋巴肉芽肿的治疗。
- 建议进行皮损的基本护理(保持清洁干燥)。
- 对所有触诊有波动感的腺体都应进行抽吸(应避免外科切开术)。
- 就治疗依从性与降低风险问题进行教育和咨询。
- 推广并提供安全套。
- 在适当条件下，可提供咨询服务的地方，提供 HIV 血清学检查。
- 建议患者如皮损在 7 日内未完全恢复应立即复诊，若临床症状恶化应提前复诊。
- 协助性伴治疗。

治疗表 5　生殖器溃疡的推荐治疗方案

• 单剂量疗法治疗**梅毒** 加 • 单剂或多剂量疗法治疗**软下疳**			
适用范围	**首选** 从每一框中各选出一种药物（共计 2 种药）	**有效的替代治疗**	**孕期，哺乳期或 16 岁以下者** 从每一框中选择一种药物（共计 2 种药物）
梅毒	单次肌注**苄星青霉素** 240 万单位	口服**多西环素**[b] 14 天，每天 2 次，每次 100mg 口服**四环素**[b] 14 天每天 4 次，每次 500mg	单次肌注**苄星青霉素** 240 万单位；或用**红霉素** 1）**早期梅毒**：口服**红霉素**[a] 15 天，每天 4 次，每次 500mg；2）**晚期梅毒**：口服**红霉素**[a] 30 天，每天 4 次，每次 500mg
软下疳	口服**环丙沙星** 3 天，每天 2 次，每次 500mg； 或单剂口服**阿奇霉素** 1g； 或口服**红霉素**[a] 7 天，每天 4 次，每次 500mg	单次肌注**头孢曲松** 250mg	口服**红霉素**[a] 7 天，每天 4 次，每次 500mg； 或单剂口服**阿奇霉素** 1g； 或单次肌注**头孢曲松** 250mg
在 HSV-2 常见的地区增加相应的治疗（参见流程图 3）.			

续　表

生殖器疱疹	**原发性感染** 口服**阿昔洛韦**[b] 7 天，每天 5 次，每次 200mg；或 口服**阿昔洛韦**[b] 7 天，每天 3 次，每次 400mg **复发性感染** 口服**阿昔洛韦**[b] 5 天，每天 5 次，每次 200 mg；或 口服**阿昔洛韦**[b] 5 天，每天 3 次，每次 400 mg	**原发性感染** 口服**泛昔洛韦**[b] 7 天，每天 3 次，每次 250 mg，或 口服**缬昔洛韦**[b] 7 天，每天 2 次，每次 1 g **复发性感染** 口服**泛昔洛韦**[b] 5 天，每天 3 次，每次 125 mg； 或口服**缬昔洛韦**[b] 5 天，每天 2 次，每次 500mg	

利大于弊时仅使用阿昔洛韦（参见附件 4）。剂量同原发性感染。

a　因药物相关性肝毒性，孕期禁用红霉素丙酸酯；只可用红霉素碱或红霉素琥乙酯，

b　孕期或哺乳期妇女禁用

某些地区可能需要的其他 GUD 治疗方案参见治疗表 6。

治疗表 6　生殖器溃疡的其他推荐治疗方案

在某些地方，**腹股沟肉芽肿或性病性淋巴肉芽肿**是形成生殖器溃疡的重要病因，在这些地方可加用如下治疗（或者，也可用治疗表 5 中提及的疗法治疗这些感染。

适用范围	首　选	有效的替代治疗	孕期，哺乳期或 16 岁以下者
腹股沟肉芽肿（杜诺凡病）（持续治疗至所有皮损完全愈合）	单剂口服**阿奇霉素** 1 g，随后每天服用 500mg，每天 1 次；或口服**多西环素**[a]，每天 2 次，每次 100mg	口服**红霉素**[b]，每天 4 次，每次 500mg； 或口服**四环素**[a]，每天 4 次，每次 500mg； 或口服**甲氧苄啶**（80mg）/**磺胺甲恶唑**，（400mg），2 片，每天 2 次	单剂口服**阿奇霉素** 1g，或者口服**红霉素**[b]，每天 4 次，每次 500mg
性病性淋巴肉芽肿	口服**多西环素**[a] 14 天，每天 2 次，每次 100mg，或者口服**红霉素**[b] 14 天，每天 4 次，每次 500mg	口服**四环素**[a] 14 天，每天 4 次，每次 500 mg	口服**红霉素**[b] 14 天，每天 4 次，每次 500mg

a　孕期或哺乳期妇女禁用这些药物

b　因药物有关的肝毒性，孕期禁用红霉素丙酸酯；只可用红霉素碱或红霉素琥乙酯

框 8.1　生殖器溃疡与 HIV 感染

与其他 STI/RTI 相比，生殖器溃疡更能促进 HIV 的传播。软下疳、生殖器疱疹和梅毒在 HIV 高流行地区都十分常见，对这些感染的控制是预防 HIV 感染的重要组成部分。

HIV 感染也能改变生殖器溃疡的表现形式，使其诊断更为困难。Ⅰ、Ⅱ期梅毒的皮损可呈非典型性，软下疳皮损可出现扩大并可快速发生严重损害。这些情况大大增加了及早治疗的必要性，尤其是对 HIV 感染者。HIV 阳性与阴性患者所接受的生殖器溃疡治疗措施相同，所有病人都应在开始治疗一周后复诊，若症状无明显改善仍应继续进行治疗。

单纯疱疹造成的损害可表现为持续多发性溃疡，须予以注意。抗病毒治疗可减轻症状，此治疗的性质与目的应向病人解释清楚，以避免对治愈的期望过高。

腹股沟淋巴结肿大

腹股沟与股淋巴结肿大是腹股沟区域淋巴结的局部肿大，表现为疼痛和触诊时可有波动感(柔软，内有液体的感觉)。当淋巴结肿大发生破裂时，可以腹股沟区域溃疡的形式出现。淋巴结肿大常伴发于性病性淋巴肉芽肿和软下疳。在大多数软下疳病例中可见生殖器溃疡，但女性的阴道内溃可被漏查。在腹股沟肉芽肿常见的地区，腹股沟肉芽肿应被作为腹股沟淋巴结肿大的病因加以考虑。

生殖器溃疡流程图与治疗表应在生殖器溃疡伴发淋巴结肿大时使用。治疗表 7 针对的是仅有腹股沟淋巴结肿大而无生殖器溃疡的病人。非性传播的局部或系统感染(如下肢感染)也可引起腹股沟淋巴结肿大。

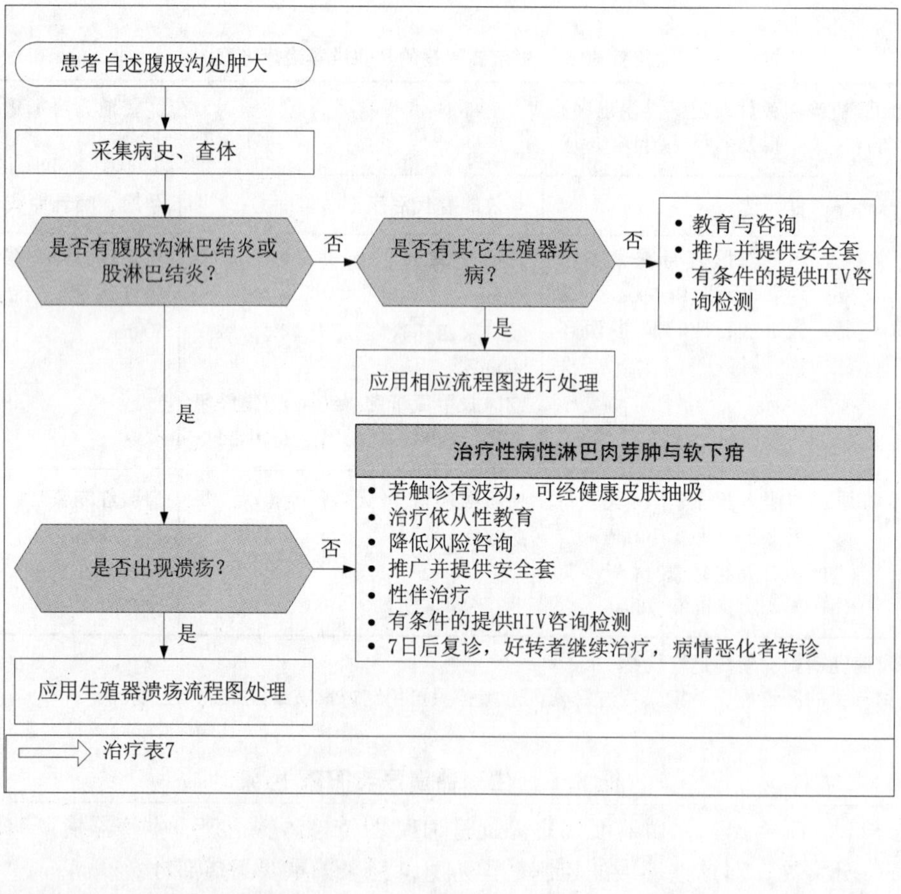

流程图 4　腹股沟淋巴结肿大(男性与女性)

治疗表 7　腹股沟淋巴结肿大的推荐治疗方案

• **软下疳**单剂或多剂治疗 加 • **性病性淋巴肉芽肿**多剂治疗			
适用范围	**首选** 从各框中选择一种药物（共计2种药物）	**有效的替代治疗**	**孕期、哺乳期或小于 16 岁的患者**
软下疳	口服**环丙沙星**[a]，3 天，每天 2 次，每次 500 mg,；或口服**红霉素**[b]7 天，每天 4 次，每次500mg	单剂口服**阿奇霉素** 1 g；或单剂肌注**头孢曲松** 250mg	口服**红霉素**[b]14 天，每天 4 次，每次 500mg（可同时治疗软下疳和性病性淋巴肉芽肿）
性病性淋巴肉芽肿	口服**多西环素**[a]14 天，每天 2 次，每次 100mg	口服**四环素**[a]14 天，每天 4 次，每次 500mg	

a　孕期或哺乳期妇女禁用

b　因药物有关的肝毒性，孕期禁用红霉素丙酸酯；只可用红霉素碱或红霉素琥乙酯

注：一些病例可能需要超过推荐的 14 天疗程。触诊有搏动感的淋巴结应通过正常皮肤做抽吸。切开引流或切除淋巴结可延缓愈合，不应进行。

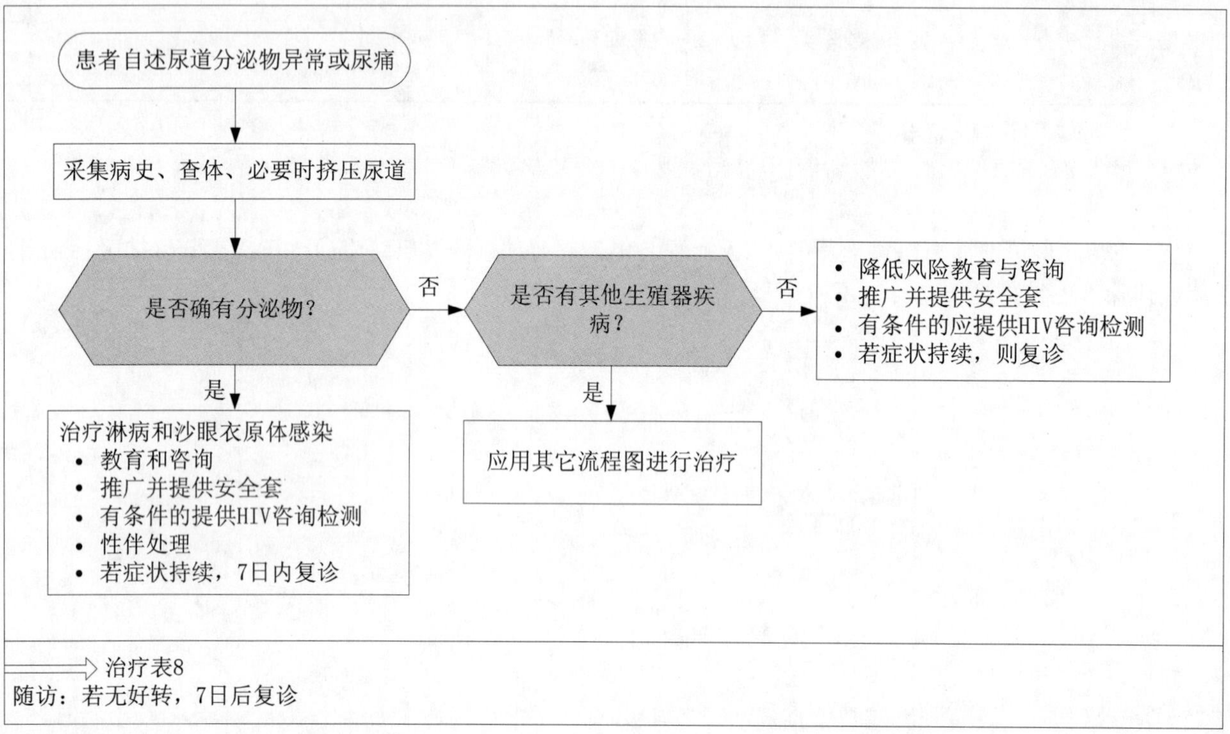

流程图5　尿道分泌物(男性)

尿道分泌物

对主诉尿道分泌物或排尿时疼痛(排尿困难)的男性患者应检查有无分泌物。若未见分泌物，应从阴茎根部向尿道外口方向轻轻挤压尿道(“挤”)。当难以证实分泌物的存在，特别是如果患者刚小便过，只要有提示感染的症状就应考虑进行治疗。

引起异常尿道分泌物的主要病原体是淋球菌和沙眼衣原体，在病征处理中，异常尿道分泌物患者的治疗应包括这两种病原微生物。在有可靠实验室设施的地区，可对两种病原微生物加以区分，并作相应的具体治疗。若开始治疗后七日内症状无好转，建议病人复诊。

最近两个月内的性伴也应接受治疗。这也是治疗无症状淋病或衣原体感染的女性患者的机会。女性性伴应按照宫颈感染接受治疗(治疗表 2)。

治疗表 8 尿道分泌物(仅男性)的推荐治疗方案

• 无并发症**淋病**的治疗 加 • **衣原体**的治疗		
适用范围	**首选** 从各框中选择一种药物（共计 2 种药物）	**有效的替代治疗**
淋病	单剂口服**头孢克肟** 400 mg；或肌注**头孢曲松** 125mg	单剂口服**环丙沙星**[a] 500 mg；或肌注**大观霉素** 2g
衣原体感染	单剂口服**阿奇霉素** 1 g，或者口服**多西环素** 7 天，每天 2 次，每次 100mg	口服**氧氟沙星**[a]，b7 天，每天 2 次，每次 300mg，或者口服**四环素** 7 天，每天 4 次，每次 500mg 或者口服**红霉素** 7 天，每天 4 次，每次 500mg

a 在某些地区，如 WHO 东南亚和西太平洋地区使用喹诺酮时需考虑淋病奈瑟球菌的耐药性。

b 在使用氧氟沙星治疗衣原体感染时，也可治疗淋病。

附睾炎是未接受治疗尿路感染的偶发并发症，其症状为一侧睾丸突发疼痛和肿大(鉴别诊断为睾丸扭转，属急诊，须排除)。

阴囊肿大 35 岁以下男性中的一种常见 RTI 并发症，可同尿道分泌物治疗方案。注意阴囊肿大也可由其他原因引起，并可能需急诊。若病人报告有外伤史或睾丸出现上提或旋转，应立即转诊进行外科检查。

其他 STI/RTI 的处理

其他常见 STI/RTI 包括肛门生殖器疣，以及阴虱或疥疮，相关的治疗措施可见治疗表 9 和治疗表 10，关于这些和其他病征的详细处理见《STI 处理指南》(日内瓦，世界卫生组织，2001)。

治疗表 9　肛门生殖器疣的推荐治疗

患者自治[a]	医生治疗
0.5%**鬼臼毒素**[b]溶液或凝胶：用棉签上药，每天2次，连用3天，接下来4天不治疗。该疗程可重复进行四次。鬼臼毒素总量不能超过每天0.5 ml。	10%～25%**鬼臼树脂**[b] **安息香酊**：仔细涂抹于疣体上，须避开正常组织。使用鬼臼树脂1～4小时后应彻底洗净外生殖器和肛周疣。用于阴道或直肠上皮表面的鬼臼树脂应在取出阴道窥器前晾干。本治疗可每周进行一次
5% **咪喹莫特**[b]乳膏剂：就寝时用一个指头涂抹，过夜，每周3次，最长可用至16周。（用药后6～10小时后用肥皂水洗净治疗区域）	**三氯乙酸**（TCA）（80%～90%）：仔细涂抹于疣体上，须避开正常组织。然后在治疗区撒滑石粉或碳酸氢钠（小苏打）以去除未反应的酸。本治疗可每周进行一次

a“患者－自治”：指患者自我治疗可辨认和触及的外部肛门生殖器疣。首次治疗须医师开处方。
b 孕期禁用。

生殖器疣也可使用冷冻疗法、电疗和手术切除等方法进行治疗。具体方法的选择决定于现有的条件以及疣体的解剖学位置。在使用化学治疗手段时应注意保护健康组织。宫颈疣应在专家协助下进行处理，该专家需使用宫颈抹片或其他检查手段对宫颈发育不良进行评估。应向病人指出，在治疗后疣体仍有再出现的可能。

治疗表 10　疥疮和阴虱的推荐治疗

疥　疮	阴　虱
1%**林丹**[a]洗剂或乳膏剂：从颈以下部位薄薄地涂上，8小时后彻底洗净。曾报道某些地区存在林丹耐药。	1%**林丹**[a] 洗剂或乳膏剂：在阴虱大量滋生处及其邻近毛发区轻柔但彻底的涂上药物，8小时后洗去；另一种方法是：使用1%林丹香波4分钟，再彻底洗净
25%**苯甲酸苄酯**洗剂：从颈以下全身应用，每晚一次，共用2夜；患者再次用药前可洗澡，但最后一次用药后24小时后方能洗澡	1%**除虫菊酯**加上10%**胡椒基丁醚**香波：在阴虱大量滋生处及其邻近毛发区应用，10分钟后洗净，若仍可在毛发－皮肤连接处发现阴虱或卵，则建议7天后再次治疗
5%**扑灭司林**乳膏：从颈以下全身应用，每晚一次，连用3夜；患者再次用药前可洗澡，但最后一次用药后24小时后方能洗澡。	1%**扑灭司林**洗剂或乳膏：用法同上述除虫菊酯一样
10%**克罗米能**洗剂：从颈以下全身应用，每晚一次，连用2夜；第二次用药后24小时彻底洗净；某些特殊区域用药需用5夜（克罗米能有止痒功效）	
6%**硫磺石蜡油**：从颈以下全身应用，每晚一次，连用3夜；患者再次用药前可洗澡，但最后一次用药后24小时后方能洗澡	

a　孕期和哺乳期妇女禁用林丹。

疥疮与阴虱很容易在性伴间传播，但它们也常通过其他途径传播，如通过寄生的床上用品(污染物)或亲密身体接触传播，因此要注意不要歧视患者。尤其是居住环境拥挤的患者，应建议对整个住房进行处理，所有衣物、床单和毛巾应清洗，最好用开水洗，并完全干燥。

STI 病例处理以及新发感染的预防

上文中提到的很多疾病都是通过性途径传播的，需要采取其他措施以取得好的处理效果。对 STI 的处理可减少病人出现并发症的可能性，并预防社区内的新发感染。

STI 病例处理不仅包括诊断和治疗，因为即使进行了正确治疗，治疗失败或再感染仍时常发生。有的患者感觉症状有所好转就停止服药，或未能安排其性伴接受治疗，也可能患者在治疗过程中未避免性交或者性交时未使用安全套。抗药性也可能成为治疗失败的原因。良好的 STI 处理措施须始终考虑到这些问题。

治疗依从性

为使 STI 治疗有效，应完成整个治疗剂量用药(同样适用于非性传播的 RTI)，因此，与需用药数天的多剂量治疗相比，单剂量治疗有明显优势。当无法采取单剂治疗时，医务人员应向病人说明用完药物的重要性，应告诉病人即使服药数天后病情好转，他们仍需完成用药。叮嘱病人不可与他人分用药品，或者将药品留待下次使用。向当地药剂师说明，若患者无力购买完整治疗剂量的抗生素，不可向其出售部分药品。若门诊不能为患者提供免费治疗，应尽力为无力购买所需药品的患者寻找其他解决办法。

建议病人(及其所有性伴)在完成治疗，并不再有症状之前避免无保护性交。接受单剂治疗时，病人应等治疗后一周才可性交。以下是与具体病征有关的其他建议：

- 有溃疡的患者应每周复查，并建议在溃疡愈合(上皮再生)后再开始性行为
- 接受盆腔炎治疗的妇女应在治疗期间避免性交或使用安全套性交

细菌性阴道病或念珠菌感染治疗的女性，只要不再感觉不适即可开始性生活。

STI 咨询与教育

患者在接受 STI 治疗之后更倾向于采取安全性行为，因此医务人员应充分利用每次门诊检查机会，推广 STI 预防。通过讨论感染 STI 的各种情况，可鼓励患者考虑安全性行为以保护自己将来不受感染。咨询应始终包括对 STI 并发症的讨论，包括不孕、增加 HIV 感染风险等，以及安全套推广、安全套使用演示和安全性行为建议(第四章)。

性伴处理(性伴通知、转诊与治疗)

成功治疗的 STI 患者，其症状将会消失，但是，如果其性伴没有同时得到治疗，患者可能被再次感染而再次就诊。患者的性伴可能有症状也可能不出现症状，但若不接受治疗将可能在社区范围内，将感染传染给他人，因此，设法协助患者通知其性伴并安排治疗是极其重要的(此处性伴不仅包括当前性伴还包括近三月内的其他性伴)。

通过以下几种方法，医疗服务机构可协助进行性伴通知：

- 可鼓励病人自己与性伴联系。可通过病人向性伴提供就诊单，解释如何进行门诊检查。最简单的就诊单(见下例)包括了指示病人(首先出现该病征的病人)所患病征的信息(诊断或编号)，其他有助于监测性伴通知率的信息还有指示病人编码号。(注意一切有关指示病人的信息均要进行编号记录并保密)
- 接受过性接触追踪技术专门培训的门诊或卫生部门工作人员可实施性伴通知并安排必要的治疗

• 在初次要求患者自己联系性伴时，可使用两步法。若1~2周后尚未成功，门诊或卫生部门工作人员可尝试追踪接触者和安排治疗

• 无论运用何种性伴通知方法，门诊都应保证患者性伴无障碍地获得治疗。这可能需要设法避免长时间的候诊以及减少常规的门诊收费等，这一点尤为重要，因为很多无症状感染患者的性伴在自己感觉健康时，不愿长时间候诊或者花钱接受治疗

免费检查优惠卷

到__________门诊就诊

编号______日期______

总体上讲，患者性伴应按照与患者相同的STI进行治疗，无论他们有无感染症状或体征。

并非所有RTI都经性途径传播，正因为如此，问题才更加麻烦。当尚未确诊时，须注意不能将病人的感染错误地认定为STI，或歧视病人。例如，阴道分泌物异常的女性通常所患的是内源性感染，而非STI，此时通知或对其性伴进行治疗都是没有必要的(性伴不需要治疗)，并且很可能破坏性伴间关系，不信任、暴力和离婚都可能成为性伴通知的结局。因此，医务人员应当在对患者性伴进行通知和治疗前尽可能地进行STI确诊，并认识到大多数的RTI有其他传播途径。表8.2归纳了常见STI/RTI病征性伴处理与咨询的信息。

表8.2 不同病征的性伴通知方法

病 征	可能的解释	性伴处理	治疗表	咨询信息
生殖器溃疡	很可能是STI	对性伴作生殖道溃疡的治疗	5/6	STI预防咨询
尿道分泌物（男性）	很可能是STI	对性伴作宫颈感染的治疗（淋病和衣原体感染）	2	STI预防咨询
下腹痛	盆腔炎，常为STI。但也可能是其他泌尿生殖道或胃肠道原因引起	对性伴作尿道分泌物治疗（淋病和衣原体感染）	8	性伴治疗为一预防措施，可减少并发症，保护生殖能力
阴道分泌物异常	内源性感染（非STI）最为可能	除非复发否则不需作性伴治疗（若复发则进行滴虫病治疗）	1	通常非性传播

对在接受盆腔炎治疗，有下腹痛的女性实施性伴通知时应尤为注意，因为盆腔炎可能出现十分严重的并发症(不孕、异位妊娠)，患者性伴也需接受治疗以预防再感染。但同时也应认识到，盆腔炎的临床诊断并不准确，对患者夫妇应给予适当的咨询，使其了解这种不准确性。通常，较为妥善的处理办法是将治疗作为保障今后生育能力的预防手段，而非将怀疑患有STI的患者认定为STI。

哪些性伴应进行通知并给予治疗？这要取决于STI潜伏期、出现症状的时间长短以及疾病的阶段。表8.3中介绍了对一些常见STI病征和具体的STI的指导原则。

表 8.3　性伴治疗的推荐时间界定

STI/RTI	治疗过去一定时间内的所有性伴...	按病征
软下疳	10 天	
性病性淋巴肉芽肿	1 月	生殖器溃疡——3 个月
一期梅毒	3 月	
二期梅毒	6 月	
潜伏梅毒	1 年	
淋病	3 月	宫颈感染或尿道分泌物 - 2 个月
衣原体感染	3 月	
滴虫病	目前的性伴	阴道分泌物异常——只在治疗后无改善时治疗现在的性伴。若性伴也有症状，则用病征处理方法治疗患者及其性伴。
酵母菌感染	目前的性伴	
PID	2 个月	下腹痛——2 月

a　这些时间仅是估计值。医生应无偏见。在可能是 STI 的大多数病例中，即使最后一次性接触是在可能的感染期外，也应对最后一位性伴进行治疗。

随访检查、治疗失败与再感染

随访检查是否确有必要？随访检查可有助于医务人员对病人进行复查，确定治疗是否有效，是否达到临床治愈。但是，对于病人而言，常规随访检查可能相当不便，对繁忙的门诊医务人员也可能成为不必要的负担。病征处理可对大多数 STI/RTI 提供十分有效的治疗，并使大部分病人病情迅速好转，对于这些病人，只要他们仍在服药并不断好转，就没有必要请他们回来“做个检查”。但是，如果病情在开始治疗后一周内仍无好转(盆腔炎治疗开始后 2～3 天)，建议病人复诊就十分有必要了。应鼓励生殖器溃疡患者在 7 天后复诊，因为溃疡通常需要较长时间才能愈合(若溃疡尚未恢复，即未在溃疡位置上形成新的上皮，治疗应延长至 7 天以上)。

STI/RTI 病人未好转通常是因为治疗失败或再感染，向病人提出以下问题确定是哪种原因造成的：

治疗失败

- 你是否按医嘱服用了所有的药物？
- 你是否和别人分着用你的药品，或感觉好些了就停药了？

还应考虑抗药性的可能。所施治疗是否依据国家治疗规范进行？治疗失败病例是否正在增加？

再感染

- 你的性伴是否来接受过治疗？
- 你在开始治疗后是否暂停性交或者在性交时使用安全套？

内源性阴道感染也常常出现复发，特别是潜在的诱因(阴道灌洗、使用阴道干燥剂、服用激素类避孕药)未去除时。预防内源性感染详见第二章。

框 8.2 有助于确定如何处理症状无好转的病例。**切记，流程图不是万能的，有的病人可能需要转院**

治疗。

框 8.2　治疗失败或再感染——随访检查内容

病　征	随访间隔时间	疑有治疗失败时[a]	可能有再感染或复发时[b]
阴道分泌物异常	阴道炎在数日内可见好转,一周内症状应消失。 注:细菌性阴道病常出现复发	再次治疗,若初次就诊时未对酵母菌感染或宫颈感染进行治疗,则进行相应的复查并考虑治疗	再次治疗以及治疗性伴的滴虫病;告诉有复发性细菌性阴道病的患者避免阴道灌洗或使用阴道干燥剂;妊娠、糖尿病以及 HIV 感染都可引起酵母菌反复感染;使用抗生素以及有时服用口服避孕药也可成为反复感染的诱因
下腹痛	2~3 天内随访(若症状恶化则提前随访);通常盆腔炎在 1~2 天内可见好转。也可能需几周病人才感觉好转(慢性盆腔炎引起的疼痛可持续多年)	考虑住院输液治疗;若症状迁延不愈则延长治疗周期	应建议女性在治疗急性盆腔炎期间避免性生活;性伴应接受淋病与衣原体感染治疗
生殖器溃疡	生殖器溃疡在一周内可见好转。完全康复可能需要数周	若症状迁延不愈则延长治疗周期;可能需要进行其他生殖器溃疡性疾病的治疗(Ⅱ型单纯疱疹病毒、腹股沟肉芽肿、性病性淋巴肉芽肿)	性伴应接受软下疳与梅毒的治疗
尿道分泌物	数日内可见快速好转。症状应在一周内消失	确认已进行淋病和衣原体感染的治疗。若病人配合度差,再次治疗。 若已施有效的单剂治疗,淋病治疗失败几率很小。	性伴应接受淋病与衣原体感染治疗
		在部分地区,滴虫病是异常尿道分泌物的一个重要原因,应考虑治疗	包括性伴治疗
腹股沟横痃	通常 1 周内好转。完全愈合要数周	需每 1~2 天随访,抽吸	性伴应接受软下疳和性病性淋巴肉芽肿的治疗

a 若治疗失败,考虑使用另一治疗方案再次治疗。若症转迁延不愈则转院治疗。

b 若治疗期间再次接触,考虑使用同种抗生素再次治疗。若症状迁延不愈则转院治疗。

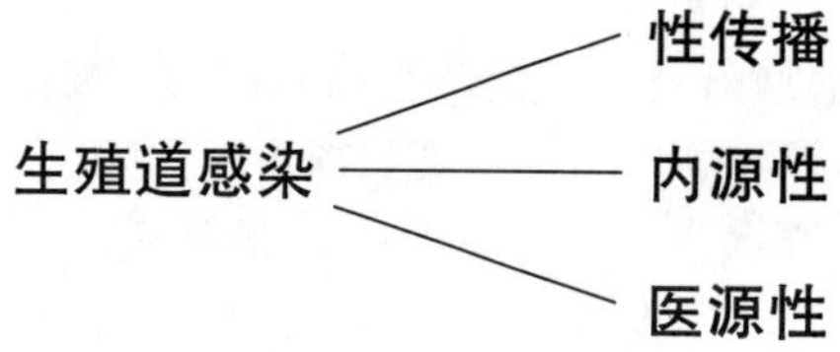

第九章　妊娠、流产、人流和产后期相关 STI/RTI 并发症

要　点

● 孕期感染、自然流产或人工流产后感染，以及产后期感染均可危及生命，须果断处理，不可延误。

● **人工流产**(安全或不安全)后发生**并发症**的患者应通过静脉输液和抗生素进行治疗。若无法就地提供紧急处理，应立即转院治疗。

● 孕期感染可引起**早产**以及其他严重并发症，预防和早期处理是降低发病率与死亡率的关键。

● **产后感染**患者应通过静脉输液和抗生素进行治疗，若无法就地提供紧急处理措施，当立刻转院治疗。

● 孕期**阴道分泌物异常**可能掩盖人工流产并发症、胎膜早破以及产后感染的体征。若无血液或羊水，应进行酵母菌感染、滴虫病和细菌性阴道病的治疗。

● 产后感染预防措施包括预防与发现孕期 STI/RTI(第二章、第三章)，以及正确的分娩操作。

第七章以孕期、分娩和产后期妇女的常规诊疗为背景讨论了STI/RTI的防治，这一章讨论妊娠中及妊娠后与STI/RTI相关的问题，以及可能出现感染性并发症的处理，着重强调了**流产**、**有并发症的人工流产**(子宫内膜炎、流产感染)和**产后感染**(子宫内膜炎、产褥感染)等处理。上述问题虽是影响育龄妇女健康最严重的疾患，但是大都可以预防。

虽然本章强调了STI/RTI的处理，但需明确的是，STI/RTI可能并不是妇女到门诊就诊的主要原因。有流产并发症或产后感染的妇女常出现出血、疼痛甚至是休克。**世界卫生组织其他指南**[①]**中给出了包括评估与稳定病情，输液治疗与使用抗生素等综合处理措施指导方案**。一旦病情稳定，应将病人转往可提供急诊治疗的医疗机构。

第二章中阐述了医疗或妇科操作中预防医源性感染的建议。

孕早期感染

孕妇的上生殖道感染与非孕妇女有所不同。因为，子宫的急性感染干扰了受精和受精卵着床，而盆腔炎可引起瘢痕、不孕或者异位妊娠，所以，患盆腔炎的妇女很难怀孕。孕期几乎所有的STI/RTI都可能发生，这是由于机体的正常防御机制发生改变所致。

孕早期大多数感染并发症都与自然流产和人工流产有关。**自然流产**(或流产)在妊娠初三月很常见，但通常不出现并发症。**人工流产**也很常见，若在不安全条件下操作，感染风险就很高。若宫内残留有组织，称为**不全**流产或人流不全，此时，可能发生感染。

妇女因流产并发症求医时，不一定会摆出所有的问题。她们可能不会讲自己流产过，特别是在流产术非法的地区，可能只有出血或其他主诉。因此，医务人员应提高警惕，采集病史时应根据客观体征进行处理。

流产后并发症的处理

流产后并发症的处理包括稳定病情、去除宫内妊娠组织和静脉注射或肌内注射抗生素(流程图6，治疗表11)。流产后并发症可危及生命。因此，及时评估和处理十分重要。应进行快速评估：简要采集病史、生命体征、一般检查、腹部检查和生殖器检查，之后开始急诊治疗。有休克体征的患者应静脉补液稳定病情。所有在孕早期出现休克或感染体征的患者都应静脉注射或肌内注射首剂抗生素，之后迅速转往可提供包括清宫术在内的医疗机构。

不全流产与感染风险

早孕出血可能为先兆流产、不全流产，异位妊娠和其他问题的征兆。不全流产的体征为子宫柔软、增大、宫口张开。流产前后的感染以及异位妊娠常出现腹痛。不伴出血的腹部剧痛可能是异位妊娠的体征。

不全流产的处理包括用人工负压吸引术或其他方法清除残留妊娠组织。若出现感染体征，患者应使用抗生素进行治疗(第三章)。应开展咨询，如出现感染体征，就应立即复诊。

有轻度出血但无休克或感染症状的妇女若数日内不见好转应进行进一步检查。

---

① 《妊娠、分娩、产后与新生儿护理：基本操作指南》(日内瓦，世界卫生组织，2003)和《孕期及分娩并发症处理：助产士与医生指南》(日内瓦，世界卫生组织，2000)。

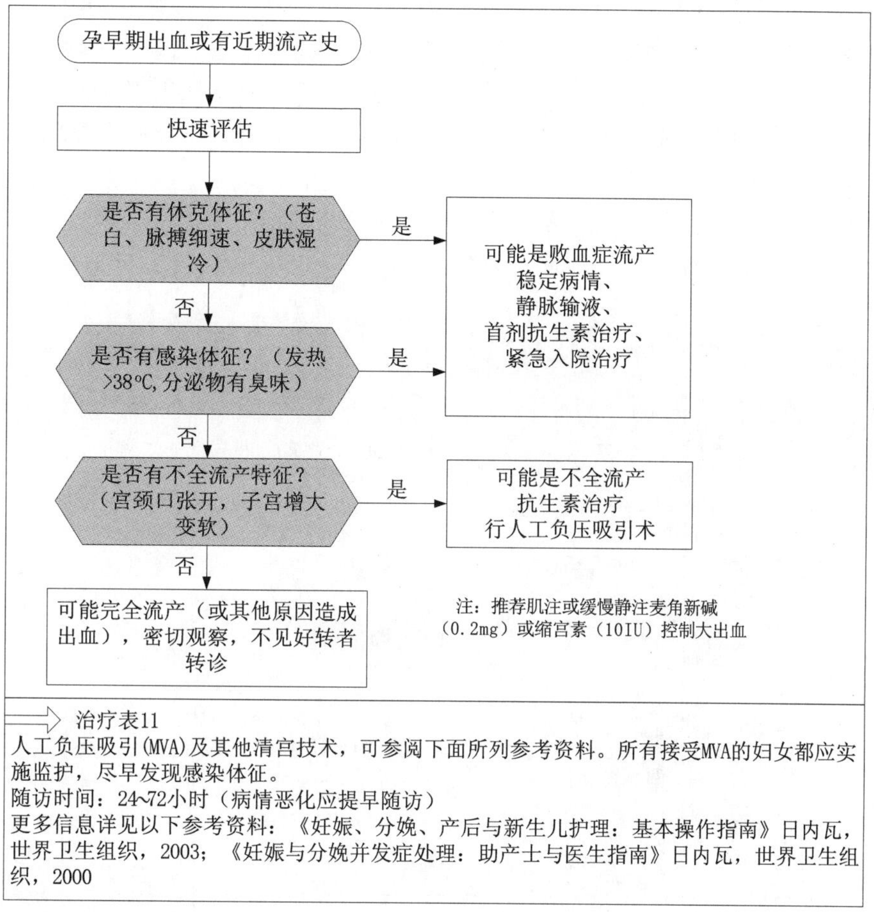

流程图 6　流产后并发症

孕晚期感染

妊娠三个月后，阴道感染、宫颈感染以及胎膜或羊水感染(绒毛膜羊膜炎)是自然流产、胎膜早破、早产或死产的常见病因。阴道、宫颈和外源性的病原微生物(淋球菌、衣原体、与细菌性阴道病有关的细菌、滴虫、B 族链球菌)可能引起流产后感染、绒毛膜羊膜炎、产后期感染和新生儿感染。为避免医源性感染的发生，孕晚期应尽量避免阴道检查和其他操作。此外，在可能的情况下，产前检查中也应进行 STI/RTI 防治(第三章)。

感染与胎膜破裂

感染可引起胎膜破裂或胎膜破裂之后出现感染。所有孕产妇，无论足月产还是早产，若胎膜破裂并出现感染体征(发热、白细胞增加、C-反应蛋白增加或有臭味的分泌物)，应静脉注射或肌内注射抗生素

(流程图 7)，并紧急转院治疗。

足月胎膜破裂后通常在 24 小时内开始分娩。对无感染体征的产妇进行监护，若 24 小时内未开始分娩，应立即转往可进行安全引产的医疗机构。为进一步规避感染风险，可采取以下措施：

- 胎膜破裂后禁止阴道检查
- 18 小时内分娩不开始，使用抗生素(治疗表 12)减少分娩前后发生感染的风险

胎膜提前破裂时，早产、低出生体重儿、围生期疾病与死亡等并发症更为常见。若分娩开始前出现胎膜早破，应综合考虑产妇的健康状况、孕龄、胎儿存活状况以及现有条件后进行处理。流程图 7 归纳了分娩前胎膜早破产妇的处理方法。

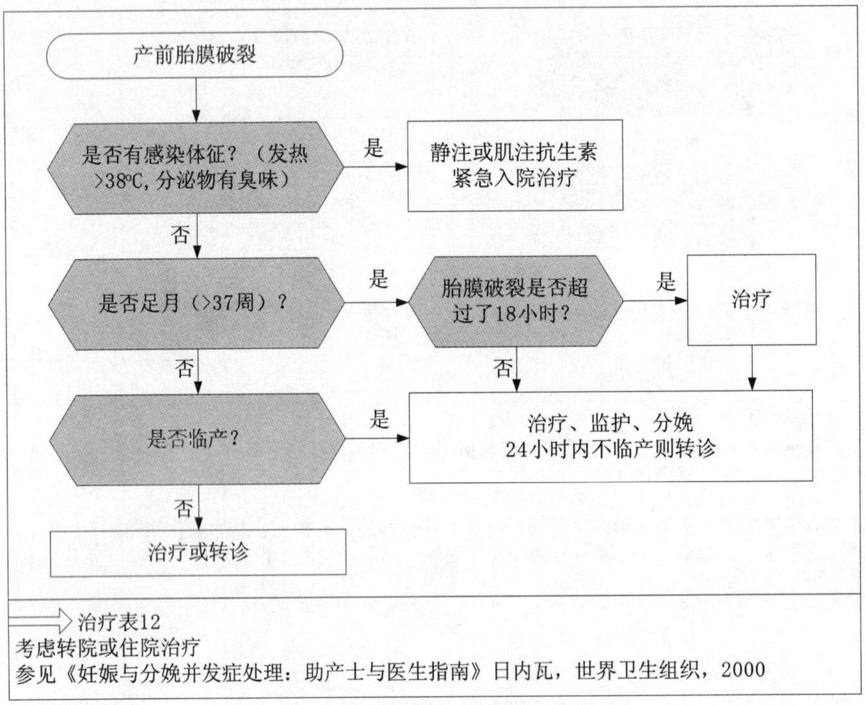

流程图 7　产前胎膜破裂

对于胚胎存活的孕妇，在选择抗生素时，应权衡用药利弊，尽可能避免使用对胎儿有害的抗生素(见附录四)。但若感染严重时，应优先考虑抗生素治疗的有效性。

预防孕晚期与早产感染应贯穿妊娠始终。在条件允许的情况下，首次产前检查时进行筛查，可发现致胎膜早破和其他不良妊娠结局的常见 STI/RTI，并在孕晚期对早产高危产妇进行复查(见第三章)。应向孕产妇及其伴侣强调 STI/RTI 早期预防对健康妊娠的重要性。

产后感染

产后子宫内膜炎与产褥脓毒血症

产后子宫内膜炎(子宫感染)和产褥脓毒血症是产妇疾病和死亡的常见原因，但通过产前检查、正确

分娩操作和产后护理可加以预防。但是，若医护措施不到位，感染可迅速恶化为全身性脓毒血症，最终造成不孕、终身残疾甚至死亡。

产后子宫内膜炎常由淋球菌、衣原体、厌氧菌、革兰阴性菌或链球菌引起。发达国家中，大多数产后感染与剖宫产有关，而在其他地区，产后子宫内膜炎常常发生于阴道分娩之后。早期的产后子宫内膜炎出现在产后 48 小时内，而晚期感染在分娩后的 3～6 天之间。对所有的产后感染都应积极治疗(全面处理见《妊娠与分娩并发症处理：助产士与医生手册》(日内瓦，世界卫生组织，2000)。

对产后马上出现感染症状的产妇应积极控制病情，给予首剂静脉注射(或肌内注射)抗生素，并立即转院治疗。

流程图 8 归纳了对产后 24 小时到 6 周内出现发热症状产妇的处理方法。

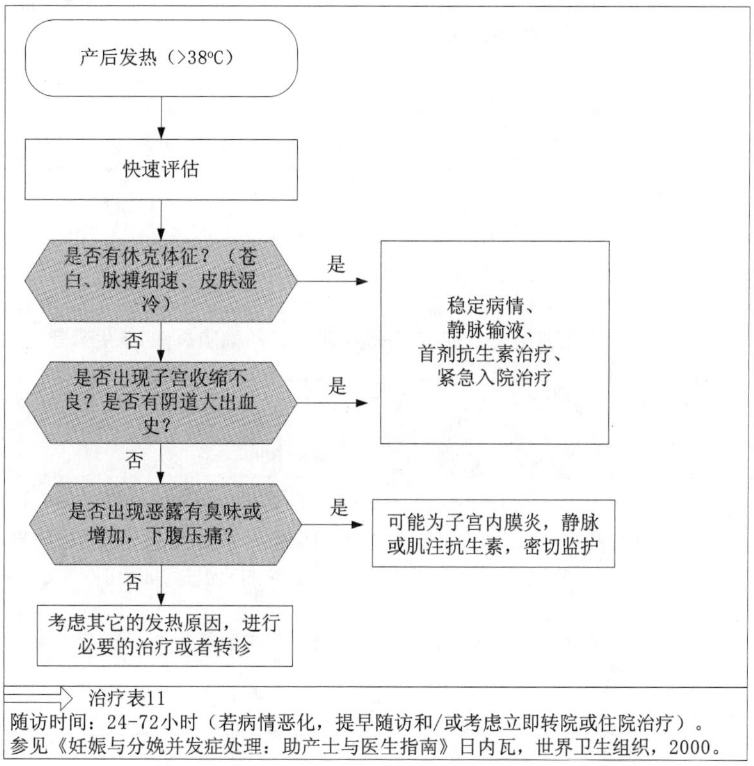

流程图 8　产后感染

预防产后感染的措施包括预防与发现孕期 STI/RTI(第二章和第三章)以及正确的分娩操作。产后并发症预防与综合处理指南见《妊娠、分娩、产后与新生儿护理：基本操作指南》(日内瓦，世界卫生组织，2003)或《妊娠与分娩并发症处理：助产士与医生指南》(日内瓦，世界卫生组织，2000)。

治疗表 11　流产或分娩后感染(脓毒性流产、产后子宫内膜炎)的抗生素疗法

选项 1	选项 2	选项 3	选项 4
易获得，最便宜。3 种药物均要使用	从各框中选择一种药物（共计 3 种药物）	使用两种药物	从各框中选择一种药物（共计 3 种药物）
静脉或肌注**氨苄青霉素** 2 g，然后每 6 小时 1 g。	肌注**头孢曲松** 250mg，每天 1 次。	静脉应用**克林霉素** 900 mg，每 8 小时一次。	口服**环丙沙星**[b]500 mg，每天 2 次；或肌注**大观霉素** 1 g，每天 4 次。
肌注**庆大霉素** 80 mg，每 8 小时 1 次	口服或静脉应用**多西环素** 100 mg，每天 2 次；或口服**四环素** 500mg，每天 4 次。	静脉用**庆大霉素** 1.5 mg/kg，每 8 小时 1 次	口服或静脉用**多西环素** 100 mg，每天 2 次；或口服**四环素** 500mg，每天 4 次。
口服或静脉应用**甲硝唑**[a] 500 mg，每 8 小时 1 次	口服或静脉用**甲硝唑**[a]400 ~ 500 mg，每天 2 次；或口服或静脉用**氯霉素** 500 mg，每天 4 次		口服或静脉用**甲硝唑**[a]400 ~ 500 mg，每天 2 次；或口服或静脉用**氯霉素** 500 mg，每天 4 次
所有治疗方案应在患者发热消退后继续使用 2 天			

a 应告诫服用甲硝唑的患者禁止饮酒。

b 在某些地区，如 WHO 东南亚和西太平洋地区使用喹诺酮时需考虑淋球菌的耐药性。

治疗表 12　孕期感染并发症(绒毛膜羊膜炎、胎膜破裂)的抗生素疗法

选项 1　产妇无感染征象时对胎儿最安全的疗法	**选项 2**　当产妇有感染征象时（发热、分泌物恶臭）的最好选择
孕期口服结合肌注是安全的。 从各框中选择一种药物（共计 3 种药物）	易获得，最便宜。分娩前一直应用 3 种药物。如果行阴道分娩，产后停止所有抗生素；如果行剖宫产术分娩，继续应用抗生素直至发热消退达 48 小时
单剂口服**头孢克肟** 400 mg，或肌注**头孢曲松** 125 mg ~ 250mg	静脉或肌注**氨苄青霉素** 2g，然后每 6 小时 1g.
口服红霉素[a]7 天，每天 4 次，每次 500 mg；或单剂口服**阿奇霉素** 1 g	肌注**庆大霉素** 80 mg，每 8 小时 1 次
单剂口服**甲硝唑**[b] 2 g	静脉输入**甲硝唑**[b] 500 mg 或 100 ml，每 8 小时 1 次

a 因与药物相关的肝毒性，孕期禁用红霉素丙酸酯；只可用红霉素碱或红霉素琥乙酯。注意：已证明单独口服红霉素可降低欧洲有早产、胎膜早破史妇女的早产率，在欧洲淋病很少。由于很多地方淋球菌对红霉素耐药，故在淋病常见的地方，推荐加用头孢克肟或头孢曲松。

b 应告诫服用甲硝唑的患者禁止饮酒。

孕期与产后阴道分泌物异常

作为 RTI 的一种症状或体征，阴道分泌物异常在孕期可造成其他问题，因为，孕期的生理变化可影响阴道内正常微生物环境(菌群)。例如，阴道分泌物明显增加，且酵母菌感染更为常见。有阴道分泌物异常的产妇应详细询问仔细检查，以排除分泌物异常不是严重疾病的早期体征。例如：

- 孕早期，分泌物异常可能掩盖点滴或微量出血，这些出血可能提示异位妊娠、先兆流产或宫颈癌

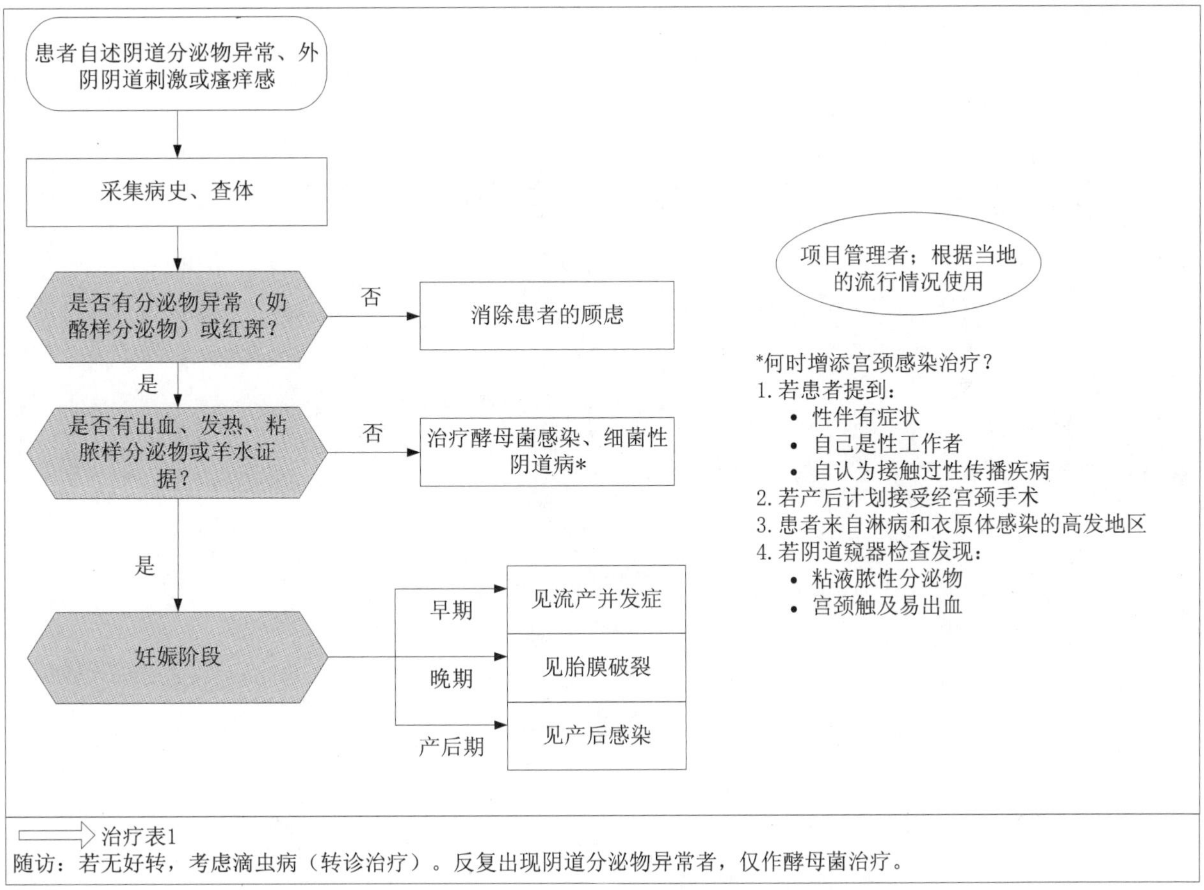

流程图 9　孕期及产后期阴道分泌物异常处理

- 孕晚期的水样分泌物可能是从破裂的胎膜中流出的羊水

详细询问病史和认真检查通常有助于区分单纯性阴道炎与其他严重疾患。若分泌物异常并伴有出血、发热、腹痛或羊水流出，应对病人实施脓毒血症处理或转院治疗。

若已排除妊娠并发症的可能，所有出现阴道分泌物异常的妇女应接受细菌性阴道病、滴虫病和酵母菌感染治疗。酵母菌感染在孕期十分常见并常复发，所以若患者复诊时症状与前时相同，应只进行酵母菌感染治疗。

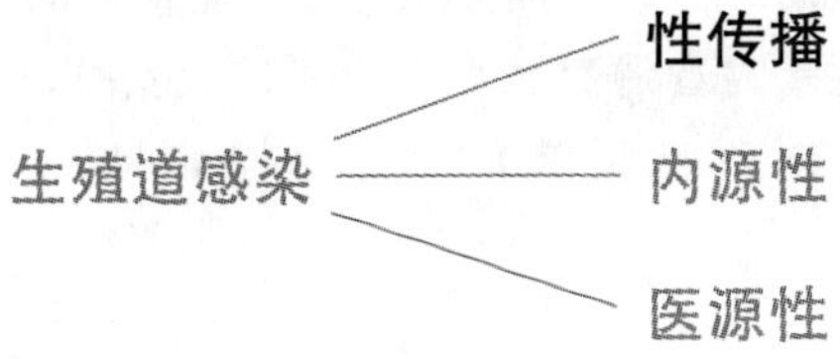

第十章 性 暴 力

要 点

● 性暴力问题普遍存在，但当事人**通常不愿意谈及，**因而医务人员应保持高度地警惕，应询问是否存在性暴力或性虐待经历。

● 根据当地法律法规，制定性暴力临床**政策和处理指南**。

● 遭受性虐待的妇女或儿童可能需要**庇护**与**法律保护**。就地或者通过转诊，提供**心理咨询**与**支持**服务。

● 除治疗外伤之外，还应提供避孕与 STI/RTI 感染预防服务，包括 STI **预防与紧急避孕**。

● **若当事人要诉诸于法律，应有法医检查**记录。医务人员应学习如何取样，或建立相应的转诊制度。

● 若不能就地提供服务，应进行**转诊**。

性暴力是指“无论与被害人何种关系，在何地，包括家中和工作地点，通过胁迫、威胁或者暴力施行的任何性活动、性活动意图、非意愿的性言词或举动，或者出卖女性性行为”①

性暴力普遍存在。无论男性或女性，儿童时期都是脆弱的。但青少年与成年女性遭受性暴力的危险更大。框 10.1 提供了一些性暴力信息。

框 10.1　有关性暴力的数据

世界各地的研究表明，7% ~36% 的女性与 3% ~29% 男性在童年时期曾遭受过性虐待，而大多数研究表明，女性遭受性虐待的机会是男性的 1.5 ~3 倍。

不同的国家中，被迫发生性行为的青年女性比例从 7% 到 46% 不等，青年男性为 3% ~20%。

人群研究表明，6% ~46% 的女性在一生中都曾遭受过伴侣的强迫性行为。

约 5% ~16% 的育龄妇女健康生育损失年源于强奸或家庭暴力。

约有 43% 的强奸受害人感染了 STI。各研究涉及的 STI 病种和研究方法不同，但大多数研究报道，STI 感染率在 5% ~15% 之间。

医务人员对性暴力**保持高度的警觉与认识**是十分重要的。很多受害者可能出于羞愧或担心事情暴露后再遭受暴力，而不愿直接谈及伴侣对她们的性虐待。所以，受害人到门诊就诊时，也只有一些非特异性的主诉，或者只是要求进行检查。她们认为医务人员能够注意到任何异常，并进行治疗。

本章并未涵盖性暴力涉及的所有医疗、社会和法律等全方面内容，而是着重阐述如何预防性侵犯所致不良后果，尤其是 STI 的防治与避孕。附件六所列资料为建立和实施性暴力受害者的医疗方案和筛查提供指导。

性侵犯受害者的医疗与其他护理

生殖健康机构应了解当地法律法规中关于性暴力的相关规定。无论就地提供服务还是转诊，医务人员都应了解如何去做以及如何处理紧急情况，并获得必要的支持与转院信息，以便保密、有效地进行处理。

第一步：做好准备

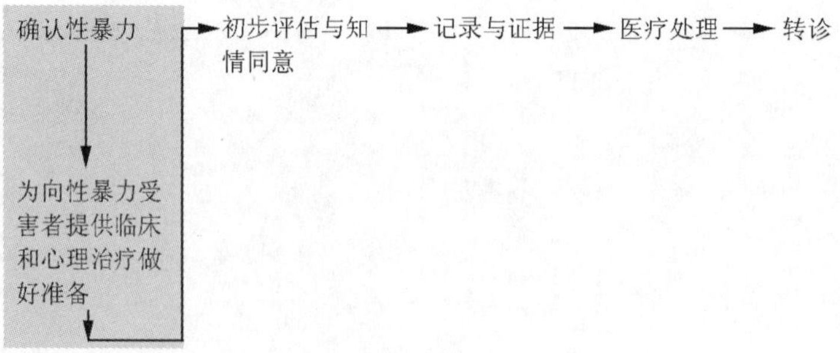

就地或通过转诊，向性暴力受害者提供以下服务：

- 处理外伤及其他健康问题；
- 收集法医证据；
- 评估有无 STI 并给予预防性治疗；
- 若有必要，评估怀孕风险并采取避孕措施；

① 《世界暴力与健康报告》，日内瓦，世界卫生组织，2002。

- 心理支持(事发当时与长期心理辅导)；
- 对以上所有措施的随访。

第二步：初步评估与知情同意

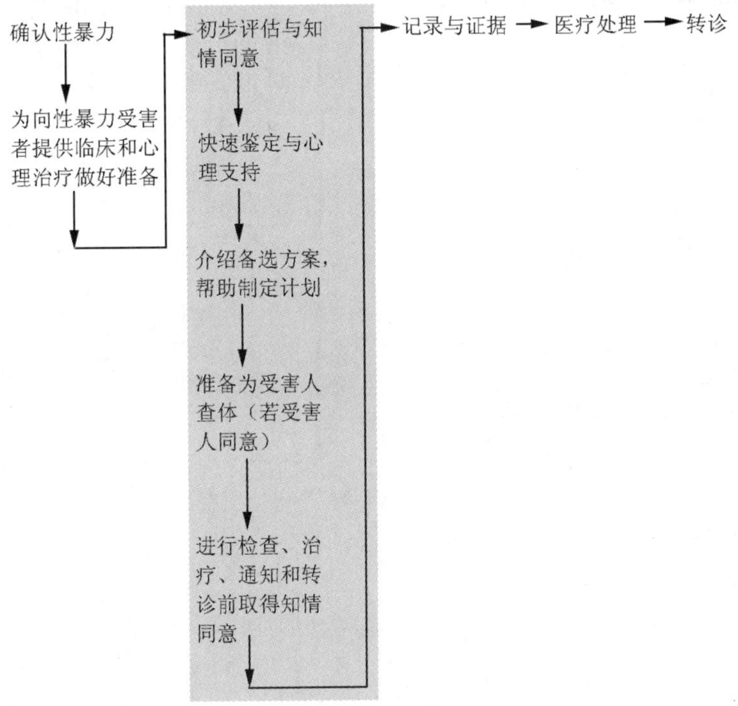

受害者所经历的过程具有创伤性，应迅速进行评估，决定他们是否需要接受紧急药物、心理或社会干预。须谨记性侵犯所造成的创伤可能使部分检查内容难以进行，在进行检查、治疗、通知或转诊前，须仔细向病人解释将要进行的步骤并取得病人的书面知情同意。

第三步：记录与证据

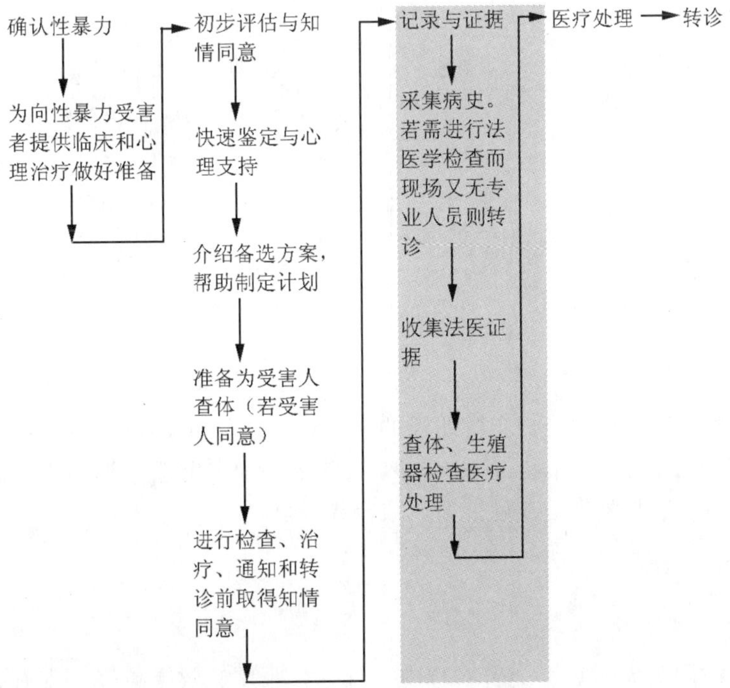

检查与记录应由接受过培训的专业医务人员完成，但等待检查的时间不能超过事发后 72 小时。病人有权决定是否接受检查，若病人不愿接受检查，可不检查直接治疗。对未满年龄的未成年人，当地法律法规种可能有相应的处理办法，通常要求取得父母的知情同意。**若条件允许，不得拒绝青少年直接接受医疗处理**。

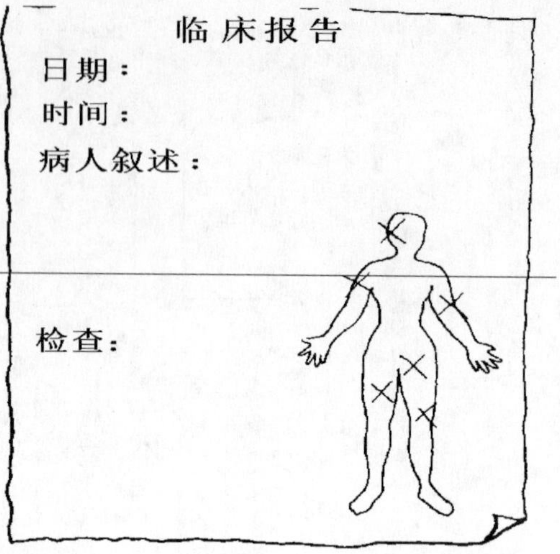

在不具备检查或转诊条件的地区，**至少应记录以下信息**：事发日期与时间、检查日期与时间、病人陈述、临床观察结果及所进行的检查。以上信息须在受害人同意的前提下方可收集或交与有关部门。若对性侵犯进行报告并进入法律程序，应了解所需承担的法律责任。最好在采集病史与检查的过程中有一名与受害人同性别并接受过训练的医务人员陪伴受害人。

对检查的所有结果均需作详细的书面记录，结果说明图片可附在其后，用以辅助回顾检查细节。

第四步：医疗处理

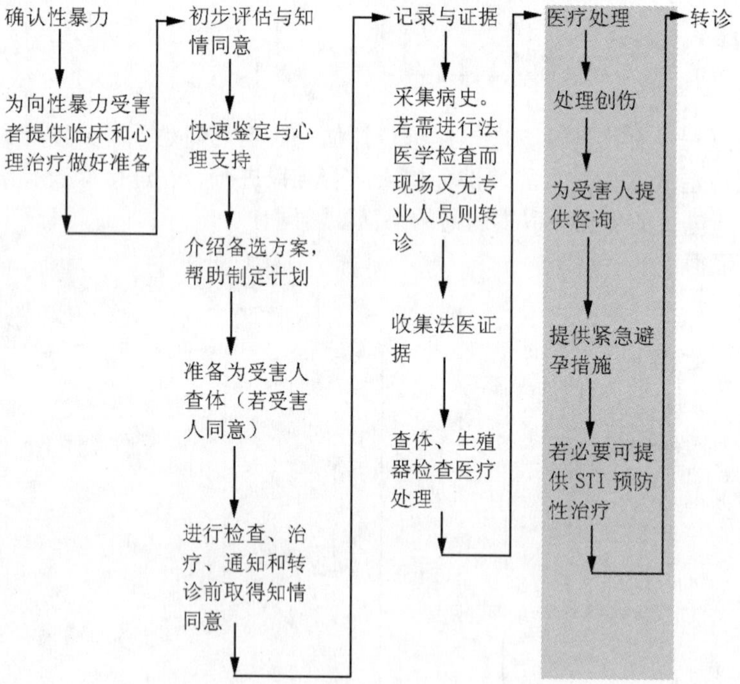

对受害者的医疗处理包括治疗遭受侵犯时所受的各种创伤以及初步咨询，应及时提供紧急避孕与 STI 防治措施。对许多受害妇女而言，对怀孕或感染 STI/RTI 的恐惧可能会增加事件造成的创伤，但当了解到医疗处理会减低怀孕与感染的风险后，可极大地减轻其恐惧。

紧急避孕

紧急避孕药的使用时限为无防护性交后 5 日内，且越早服用，效果越好。现有数种组方——左炔诺孕酮单独使用或口服避孕药联合用药(见框 6.2)。

紧急避孕的另一种途径是在强奸后 5 日内放置带铜的宫内节育器。这种方法可避免 99% 以上的怀孕。该宫内节育器可在女性下次月经时取出，或留作长期避孕用。若放置宫内节育器，应按照治疗表 13 推荐的方法给与完整的 STI 治疗。

若已超过 5 日，应向受害人提供关于人工流产的咨询(在大多数国家，强奸后的人工流产是合法的)。应首先向遭受强奸的女性提供妊娠试验，以排除事先已怀孕的可能。

STI 接触后预防性治疗

及早进行医疗干预的另一好处就是，可对多种 STI 进行治疗。STI 预防可在进行紧急避孕当日开始，但须多次用药(并在进食后服用)以减少恶心等副作用。

不同的 STI 潜伏期不同，淋病和软下疳为数日，梅毒和 HIV 感染为数周到几个月。因此，治疗措施可减轻压力，但是否直接接受预防治疗或等待 STI 检查结果应由受害妇女自己决定。

治疗表 13 介绍了一些在事发后立即使用或出现症状后使用有效的措施。

治疗表 13 成人 STI 预防性治疗方案

适用范围	**选项 1** 单剂治疗非常有效。从每个框中各选出一种（共计 3 或 4 种药物）[a]	**选项 2** 有效的替代方案 – 有些地区可能耐药，或需要多次用药	**若患者处于妊娠期，哺乳期或小于 16 岁**，从每个框中各选一种（共计 3 或 4 种药物）[a]
梅毒	单剂肌注**苄星青霉素** 240 万单位	（仅在青霉素过敏时）口服**多西环素**[c]14 天，每天两次，每次 100 mg	单剂肌注**苄星青霉素** 240 万单位
淋病/软下疳	单剂口服**头孢克肟** 400 mg；或肌注**头孢曲松** 125 mg	单剂口服**环丙沙星**[d] 500 mg，或肌注**大观霉素** 2 g	单剂口服**头孢克肟** 400 mg，或肌注**头孢曲松** 125 mg
衣原体感染/性病性淋巴肉芽肿	单剂口服**阿奇霉素** 1 g	口服**多西环素**[c]7 天，每天 2 次，每次 100 mg；或口服**四环素**[c]7 天，每天 4 次，每次 500 mg	单剂口服**阿奇霉素** 1 g；或口服**红霉素** 7 天，每天 4 次，每次 500 mg
阴道毛滴虫	单剂口服**甲硝唑**[b]2 g	单剂口服**替硝唑**[e] 2 g	单剂口服**甲硝唑**[b]2 g 或口服 7 天，每天 3 次，每次 400 ~ 500 mg

a 若治疗方案中包括阿奇霉素 1g 或多西环素、四环素、红霉素治疗 14 天，就可省去苄星青霉素的治疗。因为前述用药均对潜伏期梅毒有效。

b 妊娠头 3 个月避免使用甲硝唑。应告诫服用甲硝唑的患者不能饮酒。

c 孕妇或哺乳期妇女禁用这些药物。

d 在某些地区，如 WHO 东南亚和西太平洋地区使用喹诺酮时需考虑淋病奈瑟球菌的耐药性。

e 服用替硝唑的患者应避免饮酒。

淋病的其他抗生素疗法请参见附件三。对儿童可能感染的 STI 治疗措施同成人。治疗表 14 给出了推荐剂量。

HIV 感染接触后预防性治疗

鉴于HIV感染是强奸最令人生畏的后果之一，应予以重视。目前，关于HIV性接触感染的接触后预防性治疗的有效性尚无确切证据，且接触后预防性治疗并未得到普遍推广。若提供接触后感染预防服务，应向受害者提供咨询，并在72小时内进行转诊。医务人员在评估受害人对HIV传播知识的理解基础之上，给予适当的咨询，咨询应考虑到当地HIV的流行情况与其他影响因素(创伤和其他STI暴露)。若受害人决定接受接触后预防性治疗，通常以2～3种抗逆转录病毒药物给药28天。

治疗表14　儿童STI的预防性治疗方案

适用范围	单剂治疗非常有效。从每个框中各选出一种药物（共计3或4种药物）[b]	年龄较大的儿童和青少年
梅毒	单剂肌注**苄星青霉素**，5万单位/kg，或者口服**红霉素**14天，每天4次，12.5 mg/kg/次	>45 kg时，执行成人标准
淋病[a]/软下疳	单剂肌注**头孢克肟**8 mg/kg，或**头孢曲松**125 mg，或者**肌注大观霉素**40 mg/kg（最大量2 g）	>45 kg时，执行成人标准
衣原体感染/性病性淋巴肉芽肿	口服**红霉素**7天，每天4次，12.5 mg/kg/次	12岁及以上执行成人标准
阴道毛滴虫	口服**甲硝唑**[c]7天，每天3次，5 mg/kg/次	12岁及以上执行成人标准

a 淋病的其他抗生素疗法请参见附件四。
b 假如选择红霉素治疗梅毒，那么只有三种药可以用于儿童。
c 应告诫患者服用甲硝唑时不能饮酒。

乙肝免疫预防

乙肝病毒容易通过性接触与血液接触传播。现有数种有效的疫苗可供选择，但价格昂贵并需要冷藏。若条件允许，应在14日内向强奸受害者提供疫苗，并于0、1、6个月时，分三次肌内注射(不同的疫苗用药时间可存在差异，详见疫苗包装说明)。乙肝疫苗可用于孕妇、慢性感染者或以前感染过乙肝的人。开展儿童免疫项目的地区，无需给已接种疫苗的儿童用药。若给予乙肝疫苗则不需使用肝炎免疫球蛋白。

破伤风毒素

破伤风预防措施包括对所有伤口进行严格清创。若受害者有撕伤、切割伤或擦伤，应接种破伤风疫苗，以前已接种者只需注射加强针；从未接种者应安排一月后进行第二次接种，六月到一年后进行第三次接种。若伤口不干净或受伤超过六小时，且受害者从未接种过疫苗，还应给予破伤风免疫球蛋白。

第五步：转诊

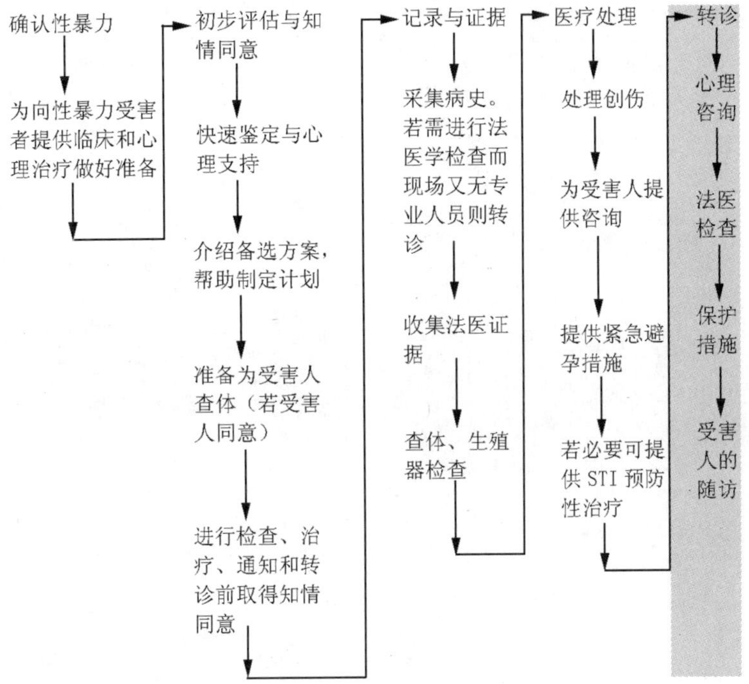

在进行初步治疗后，可能需转诊进行其他处理，如心理支持。有条件的应由专门的服务机构或庇护机构，进行受害者个人安全评估，并实施必要的保护措施。若有必要，但门诊又不具备检查条件时，应转诊作法医检查。

首次检查时安排随访十分重要。受害妇女应知道若有其他相关的身心问题时，可与何人联系。青少年可能特别需要支持，因为他们可能无法或不愿向父母或监护人透露有关受侵害的情况。

附件一 STI/RTI 处理所需的临床技能

内容

- 病史采集
- 常见 STI/RTI 症状
- 检查

病史采集

由于 STI/RTI 的敏感性，病人通常不愿谈起他们的情况。为了让病人在病史采集和检查过程中感觉更为轻松，医务工作者应当表现得精神投入并具有同情心，而不应表现得漫不经心或作过多的道德评价。

- 对病人表示欢迎
- 鼓励病人说话
- 注视病人
- 倾听病人讲述

性行为史对病情处理以及其他对病人有益的检查、检验都有帮助。选择谈话较隐蔽的场所，向病人询问以下内容：

- 就诊的原因
- 社会背景，包括可增加 STI/RTI 风险的各种因素
- 用药史，包括用药及药物过敏史
- 上几次怀孕、末次月经、月经和避孕情况
- 性行为史，包括任何 STI/RTI 高危行为
- 与当前主诉相关的症状
- STI/RTI 症状

常见 STI/RTI 症状

很多生殖道感染病人主诉的症状都与具体的病征相关联，医务工作者可利用第八和第九章中的病征

女　性	男　性	病　征
阴道分泌物颜色、气味、数量、粘稠度等方面的异常，外阴阴道瘙痒或刺激感		阴道分泌物异常（流程图1和流程图9）
	尿道分泌物，尿痛（排尿困难）	尿道分泌物（流程图5）
下腹疼痛		下腹疼痛（流程图2）
生殖器溃疡、破溃或水疱		生殖器溃疡（流程图3）
腹股沟区肿胀、包块或溃疡		腹股沟淋巴结肿大（流程图4）

处理对病人进行处理。

其他可提示RTI的症状和体征：

• 女性尿痛(排尿困难)表明可能有阴道、宫颈或尿道感染(UTI)。若还有阴道分泌物异常，则使用阴道分泌物异常的流程图，若没有，则需要做宫颈感染或尿道感染的检查或试验。

• 感染体征伴有过期月经(闭经)或不规则出血，则表明可能已怀孕。应从第九章中选用适当的流程图对患者进行处理。

• 肛内或肛周的分泌物、溃疡或疣可由多种致生殖器感染的STI引起。其治疗与生殖器感染相同。

• 口内及口周的溃疡或其他损害可能是梅毒或疱疹的体征。

• 还可发生咽部感染(咽部淋病)。推荐应用头孢曲松(125mg)、头孢克肟(400mg)、环丙沙星(500mg)、氧氟沙星(400mg)单剂治疗。(治疗表8)

检查①

对病人进行检查的环境应与病史采集的环境同样保密，在病人脱下衣物或躺在检查台上时不应有任何人进入检查室，以便使病人感觉舒适。检查异性病人时，建议有一名与病人同性别的助手在场。

所有检查均应从综合评价开始，包括生命体征和皮肤检查，以便发现系统疾病的体征。详细的体格检查本文不加详述。

根据所具有的设备条件，女性生殖器检查包括三个部分：

• 外生殖器检查
• 窥阴器检查
• 双合诊检查

女性外生殖器检查

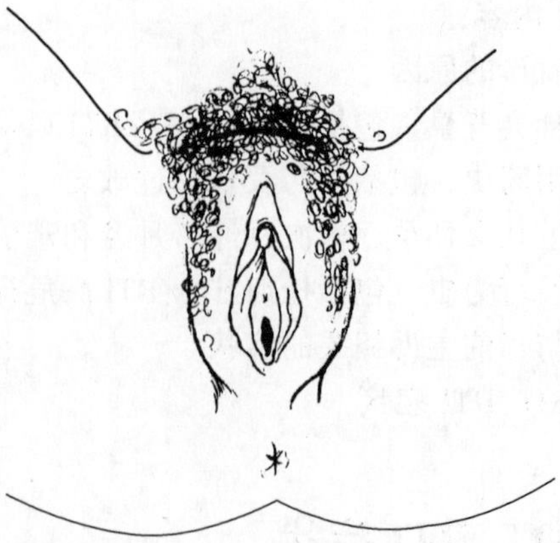

开始检查之前：

• 确保检查在保护隐私的情况下进行
• 让女性先排尿
• 用干净水和肥皂洗手
• 让女性解开衣服，用一床单或衣服遮盖其身体

① 这部分很多内容改编自 Burns *et al.* Where women have no doctor. 1997, Berkeley, CA, USA, Hesperian Foundation。

• 让病人平躺，脚跟靠近臀部，双膝向上，并向病人说明你要做什么
• 需伸入病人阴道的手带上消毒手套

检查时照明需良好。观察包括会阴和肛门在内的外生殖器——用戴上手套的手进行检查，动作要轻柔，查看生殖器周围、外阴皮肤皱褶间有无包块、肿胀、异常分泌物、溃疡、撕裂和瘢痕。

外部检查时可发现的体征	处　理
外阴分泌物和发红是阴道炎的常见体征。当分泌物为白色、乳酪状时，可能是酵母菌感染。	阴道分泌物异常（见流程图 1）（妊娠妇女，见流程图 9）
溃疡、破溃或水疱	生殖器溃疡，流程图 3
腹股沟区肿胀或包块（腹股沟淋巴结炎）	腹股沟淋巴结肿大，流程图 4

窥阴器检查方法

• 使用前须确定窥阴器已进行了严格消毒或灭菌(见附件 2)。有条件时，在插入前用干净的温水或润滑剂将窥阴器弄湿。

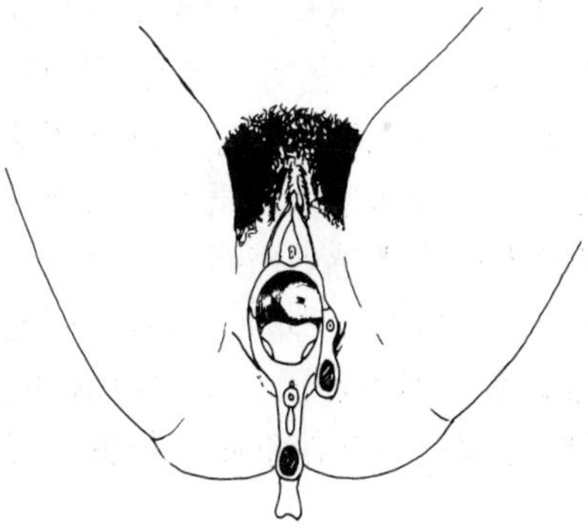

• 将戴有手套手的第一个手指由阴道口放入(有些医生本步用窥阴器尖代替手指)，放入手指的同时，将阴道壁周围的肌肉轻轻向下压。等妇女的肌肉松弛下来后缓慢进行。

• 用另一只手的食指和中指夹持窥阴器叶片，侧放后滑入阴道。注意不要向前挤压敏感的尿道和阴蒂。当窥阴器放入一半时，转动窥阴器使其手柄向下。注意：某些检查床没有让窥阴器柄转下来的足够空间，这时可将柄向上转。

• 轻轻将叶片打开一点，检查宫颈。慢慢的轻柔移动窥阴器，直至你能从叶片间看到宫颈。拧紧螺丝(或者锁上窥阴器)以使其保持固定。

• 检查宫颈。宫颈正常时应为粉红色，圆形且光滑，可能有小的黄色囊肿，宫颈开口(子宫颈口)周围区域发红，或有清亮的黏液分泌物。检查有无宫颈感染的体征：黄色分泌物，用棉签碰触时宫颈易出血；注意有无任何异常增生物或溃疡存在。

• 注意宫颈口是开还是闭，是否有分泌物或出血。若你的检查对象是产后或流产后阴道出血，须检查是否有组织从宫颈口排出。

• 取出窥阴器时应向检查者方向轻轻退出，直至叶片不再夹住宫颈。然后将叶片合上，轻轻退出，退出时轻轻转动窥阴器，观察阴道壁。

• 每次检查后均须对窥阴器进行消毒。

如何检查腹腔内的生殖器部分：双合诊

• 检查宫颈举痛。将戴手套手的食指放入阴道。放手指时将阴道壁肌肉轻轻的向下压，待肌肉松弛后，放入中指，将手掌转向上。

• 触诊子宫开口(宫颈口)，感觉其是否坚实并为圆形。然后宫颈两边各放一个手指，轻轻移动宫颈

窥阴器检查时可发现的体征	处　理
阴道分泌物和阴道壁潮红是阴道炎的常见体征。当分泌物为白色，乳酪状时，可能是酵母菌感染。	阴道分泌物异常（见流程图 1）（妊娠妇女，见流程图 9）
溃疡、破溃或水疱	生殖器溃疡，流程图 3
若宫颈触及易出血或者分泌物为粘液脓性，有颜色改变，则可能有宫颈感染	治疗表 2
若你的检查对象是处于产后或流产后，检查有无阴道流血、组织碎片，并检查宫颈是否正常。	流产并发症，流程图 6
宫颈上有肿瘤或其他外观异常的组织。	安排宫颈抹片或细胞学检查

并观察患者面部表情。正常应当可轻易移动且无疼痛。若有疼痛(你可以发现她表情痛苦)，则该体征称为宫颈举痛。患者可能有子宫、输卵管或卵巢感染。若宫颈柔软，则患者可能怀孕了。

- 置于外部的手轻压下腹部时感觉子宫。这使得内部组织(子宫、输卵管、卵巢)更靠近你置于内部的手。子宫可被推向前或后。若你在宫颈前方感觉不到子宫，轻轻举起宫颈，在其周围感觉宫体组织。若你感觉到它在宫颈下方，宫体则是后倾的。
- 找到子宫后，感觉它的大小和形状。操作时将置于内部的手移到宫颈边，沿子宫移动置于外部的手。子宫正常时应感觉坚实、光滑，比柠檬稍小。
  - 若子宫质软且增大，患者可能怀孕了。
  - 若子宫表面有包块、质硬，患者可能患了纤维瘤或有其他增生物。
  - 若碰及时患者感到疼痛，则可能存在内部感染。
  - 若子宫不能自由移动，患者则可能有陈旧性感染所致的瘢痕。
- 感觉输卵管和卵巢。正常时这些器官不易被触及。若触及任何比杏仁大的包块，或引起剧烈疼痛，则可能有感染或其他急症。若患者有疼痛性包块及经期延迟，可能是异位妊娠，且须立即采取医疗措施。
- 移动手指，触摸阴道内表面。明确是否有异常包块、撕裂或溃疡。
- 叫患者咳嗽或像排便时一样用力，观察是否有东西膨出阴道。若有，则可能是子宫或膀胱下垂(脱出)。
- 检查结束后将需重复使用的手套清洗消毒，用肥皂和清水洗手。

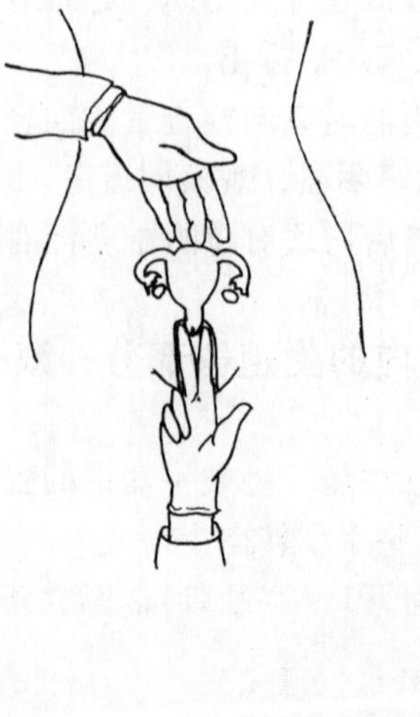

双合诊检查时可发现的体征	处　　理
置于腹部的手压迫子宫时有下腹部压痛	腹部检查或双合诊检查若发现有压痛，则使用下腹部疼痛流程图（流程图 2）
置于阴道内带手套的手指将宫颈从一边移到另一边时有宫颈举痛（常有明显的面部表情变化）。	
当置于腹部和阴道内的手同时对子宫（中心位置）及附件（子宫两侧）施压时，有子宫或附件压痛	
触及任何异常增生物或硬块	安排宫颈抹片或细胞学检查

女性 RTI 的症状和体征

病　　征	症　　状	体　　征
阴道炎（流程图 1）	有颜色、气味、数量或粘稠度改变的异常阴道分泌物。外阴或阴道瘙痒或刺激感	外阴阴道潮红 外部或窥阴器检查中可见阴道分泌物。
宫颈炎（治疗表 2）	通常无。有时排尿烧灼感或性交后点滴状出血。	粘液脓性宫颈分泌物，宫颈触及易出血
下腹部疼痛（流程图 2）	下腹部疼痛 性交痛	腹部检查时有下腹部压痛。 双合诊时有宫颈举痛 双合诊时有子宫或附件压痛
生殖器溃疡（流程图 3）	生殖器溃疡、破溃或水疱	
腹股沟淋巴结肿大（流程图 4）	腹股沟区肿胀、包块或溃疡	

男性患者的检查

- 检查前清洗双手并戴上手套。
- 每步检查前向病人说明检查内容。
- 请病人站起来并将内裤脱至膝盖处，部分医务人员倾向于在检查时要求病人躺卧。
- 触诊腹股沟区(腹股沟)，检查有无淋巴结肿大和淋巴结肿大。
- 触诊阴囊，检查双侧睾丸、附睾和精索。
- 检查阴茎，注意有无皮疹或溃疡。
- 有包皮过长的患者在检查时需让患者向后拉开包皮，检查龟头和尿道口。
- 若没有发现明显的尿道分泌物，让患者捏挤尿道。
- 让患者转过身去，弯下腰，轻轻的掰开其臀部。也可让患者侧卧，上面的一条腿向胸部屈曲。

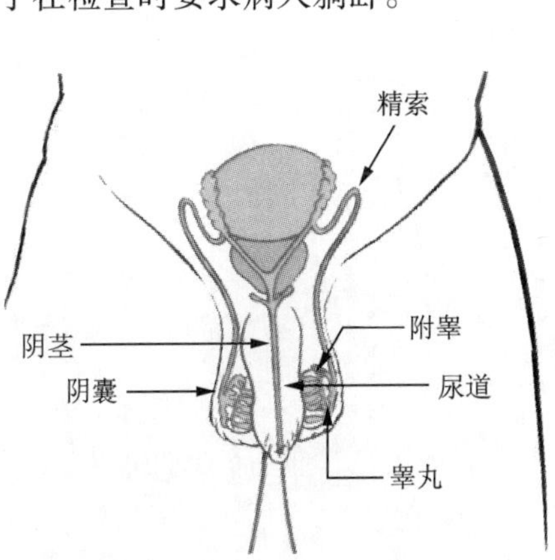

- 检查肛门有无无溃疡、疣、皮疹或分泌物。
- 查体后洗手。
- 记录检查结果，包括有无溃疡、淋巴结肿大、生殖器疣和尿道分泌物，注意记录颜色和数量。

男性患者检查体征

检查体征	处　理
尿道分泌物	尿道分泌物（流程图 5）
溃疡、破溃、水疱	生殖器溃疡（流程图 3）
腹股沟肿胀或包块（腹股沟淋巴结病），睾丸肿胀	腹股沟淋巴结肿大（流程图 4）

附件二　消毒与全面防护措施

内容

- 防止临床诊疗感染
- 高级消毒：三步法
- 全面防护措施

防止临床诊疗感染

护理他人前后须**洗手**。洗手是杀死皮肤上细菌的最重要途径，以下情况时洗手应更彻底，时间更长：

- 接生前后
- 接触伤口或破损的皮肤前后
- 在人体某部位进行注射、切割或穿刺前后
- 接触血液、尿液、粪便、粘液或阴道体液之后
- 摘除手套后

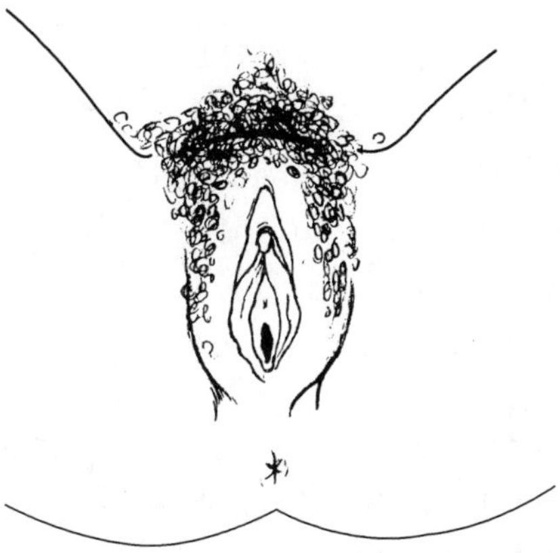

用肥皂或其他消毒剂祛除污垢和细菌，用肥皂泡沫搓揉手时数 30 下，用刷子或柔软的小棒清洁甲下，然后用流动水冲洗，勿再使用同一盆水。

设备器械的消毒：清洁设备器械以去除其上的几乎全部细菌称为高级消毒。若器械用作以下用途，则须首先清洗而后消毒：

- 切割或穿刺皮肤
- 注射
- 分娩时切断脐带
- 检查阴道，尤其分娩、流产或人流过程
- 任何经宫颈操作

---

① 改编自 Burn *et al.* Where women have no doctor. Berkeley, CA, USA, Hesperian Foundation, 1997.

高水平消毒：三步法①

1. 浸泡：将器械浸泡 10 分钟。有条件的可用 0.5% 漂白剂溶液（氯水，制备见下面）浸泡器械，这样可以避免清洗时被感染。若没有漂白剂则使用清水浸泡。

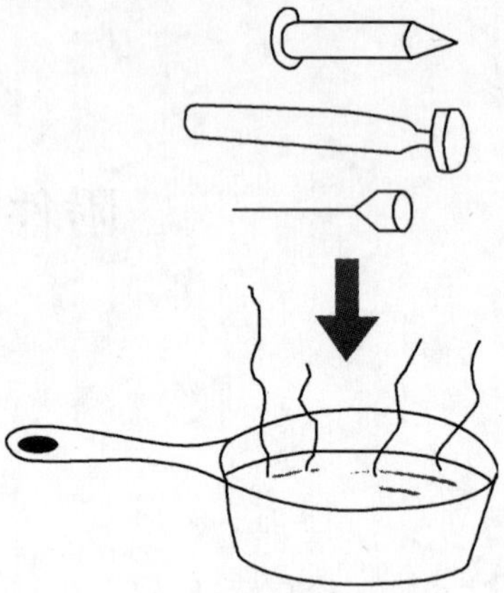

2. 清洗：用肥皂水和刷子清洗所有器械，直至所有器械都看起来十分的干净，然后用清水冲洗。注意不要被器械的尖利处划伤。清洗器械时应戴上手套，有条件时戴厚手套。

3. 消毒：将器械蒸或煮 20 分钟。

- 蒸器械时使用有盖的锅。水的深度不必淹没全部器械，但水量应足够保证产生的蒸汽一直冒出锅沿 20 分钟。不可放入过量的器械，器械不得冒出锅沿。
- 煮器械时不必将水加满，但水量应能保证在煮的过程中一直淹没锅内全部器械。锅上加盖。
- 蒸或煮器械时，当器械放入锅内，锅内水完全沸腾后开始计时 20 分钟。开始计时后不得再向锅内加入任何东西。

0.5% 漂白剂溶液的制备方法：

- 若漂白剂标签上注明：
- 含 2% 氯——将 1 份漂白剂兑入 3 份水中
- 含 5% 氯——将 1 漂白剂兑入 9 份水中
- 含 10% 氯——将 1 份漂白剂兑入 19 份水中
- 含 15% 氯——将 1 份漂白剂兑入 29 份水中
- 制备仅够当天使用的溶液。第二天不得再次使用，否则杀菌效力不够强。

全面防护措施②

无论病人看起来是否患病，无论医务人员是否了解病人的 HIV 及其他感染情况，对所有病人都应采取相同的全面防护措施，防止感染传播。

在没有基本的防护措施时，有些 RTI 可由病人传染给医务人员或其他病人，乙肝、丙肝和 HIV 病毒都是无法治愈的感染，很容易通过再次使用被污染了的针具等器械传播。由于 RTI 常常不表现症状，所以也就无法知道到底哪个病人有感染，因此，无论是确已感染还是疑似感染，对所有的病人都应采取全面防护措施。

对所有就诊患者均采取防护措施，任何时候只要进行包括注射、缝合、接生、检查阴道等需切开皮肤、接触体液的操作，都要依照下面的建议进行。

只要遵守这些规则，就可以避免感染传播，或者自己受到感染。

- 避免接触体液，如血液、呕吐物、大便、尿液等。

①改编自 Burns et al. Where women have no doctor. Berkeley, CA, USA, Hesperian Foundation, 1997.

② Burns et al. Where women have no doctor. 1997, Berkeley, CA, USA, Hesperian Foudation.

不得共用任何接触血液的器皿，包括刀片、针头、切割皮肤的任何锋利器皿，以及牙刷等。若不得不共用时，他人使用前需对器皿进行消毒。

- 用干净的绷带或纱布包扎伤口。
- 清理使用过的绷带和纱布，血液、呕吐物或大便时要戴上手套或用一块塑料布隔开。
- 在更换病人用过的床上用品或衣物后用肥皂水洗手。

保持病人的床上用品和衣着清洁，这样可使病人感觉舒适并有利于预防皮肤病。小心处理沾有血液、腹泻物或其他体液的衣物和床单，将其与其他衣物分开清洗，可能的话清洗后在太阳下曝晒，或者晒干后再熨一遍。

附件三 RTI 实验室检查

内容

- 梅毒试验结果分析
- 细菌性阴道病(BV)的临床标准
- 湿片显微镜检
- 阴道涂片革兰染色显微镜检
- 应用革兰染色诊断宫颈感染

快速血浆反应素(RPR)实验室检查

实施 RPR 检查，分析结果

获得同意

介绍试验过程。

用一无菌注射器抽取静脉血 5ml，注入试管内备用。

静置试管 20 分钟待血清分离(或 2000～3000 转离心 3～5 分钟)，分层血样中血清位于上层。

用移液管吸取少量血清，注意不要吸到血样下层的红细胞。

将移液管竖直置于试验卡上一环上方，轻挤橡皮头，让一滴(50μl)血清滴入环内，用干净的牙签或其他清洁的器具将血清在环内涂散。

注意：一张试验卡上可做多个样品。试验时不要污染其他试验环。每次涂抹都要用干净的器具。每个样品都要仔细的标上受试者姓名或编号。

安上注射器针头，振摇抗原*，抽取足量试验抗原(每个试验一滴)。

握住注射器，使之竖直，将恰好一滴抗原滴入一个试验样品中。切勿搅拌。

将试验卡放在手掌上，平稳旋转 8 分钟**(或使用机械旋转器)。

读卡

旋转 8 分钟后读卡，注意读卡时照明要好。转动或倾斜卡片观察有无凝块(阳性结果)。多数试验卡都设有阳性、阴性对照环供比较用。

样卡：

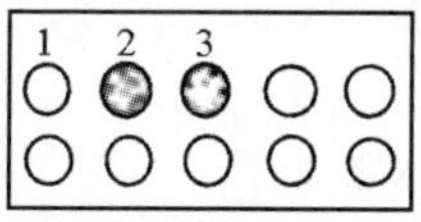

1. 阴性(无凝块或只有轻微混浊)：梅毒阴性
2. 阳性(明显的凝块)：梅毒阳性
3. 弱阳性(少量凝块)：梅毒阳性

注：弱阳性时可能比图示凝块更细、更难以观察到。

*：确保抗原冷藏(但不结冻)，并在有效期内。

**：室温应在 22.8℃－29.3℃。

若结果为阳性：

- 确定患者及其性伴是否已得到适当治疗
- 若未治疗，向患者及其性伴提供苄星青霉素治疗梅毒
- 用苄星青霉素治疗新生儿
- 新生儿两周后随访
- 提供安全行为咨询

梅毒试验结果分析

梅毒试验检测的是抗体，抗体是感染梅毒的证据。若病人有生殖器溃疡，则不需进行梅毒检测来做诊断(使用第八章的流程图 3 处理)

建议将非梅毒螺旋体试验(如 RPR 和 VDRL)用于筛查。这些试验能检出几乎所有的早期梅毒患者，但可能出现假阳性。RPR 可不用显微镜来做。

有条件时，可用梅毒螺旋体试验如梅毒螺旋体血细胞凝集试验(TPHA)、荧光梅毒螺旋体抗体吸收试验(FTA－Abs)、梅毒螺旋体微量血细胞凝集试验(MHA－TP)来证实非梅毒螺旋体试验的结果。

定量 RPR 滴度能帮助评估治疗效果，下表有助于梅毒试验结果的分析。

注意：当不能进行附加试验时，**对所有 RPR 或 VDRL 阳性的病人都应进行治疗**。

血清学试验结果的分析

	RPR	RPR 滴度	TPHA
活动性感染	+	>1:8	+
潜伏感染	+	常<1:4	+
假阳性	+	通常 <1:4	−
成功治疗	+ 或 −	降低 2 个滴度（如从 1:16 降到 1:4）	+

细菌性阴道病的临床标准

无论有无显微镜检帮助，均可凭简单的临床标准诊断 BV	
样本采集	注意分泌物的颜色和粘稠度，从阴道壁和分泌物集聚的阴道深处采集分泌物标本（或使用残存于窥阴器上的分泌物）。将 pH 试纸触及棉签或窥阴器上的分泌物，读出 pH 值
制备涂片	将标本置于一张载玻片上，加入 10%的氢氧化钾，注意产生的任何气味
观察	以下 4 项特征中出现至少 3 种即可诊断为 BV • 阴道壁黏附有灰白色均质状分泌物 • 阴道分泌物 PH>4.5 • 阴道分泌物加入 10%氢氧化钠溶液后有鱼腥样臭味（嗅试验阳性） • 显微镜检见线索细胞
注意	寻找其他阴道或宫颈感染的证据——多重感染很常见

湿片显微镜检

阴道分泌物的直接镜检对诊断酵母菌（白色念珠菌）感染，细菌性阴道病和滴虫病有帮助	
样本采集	从阴道侧壁和分泌物集聚的阴道深处用棉签取出分泌物标本
制备涂片	在玻璃载玻片上用 1 或 2 滴生理盐水将标本混匀，盖上盖玻片
观察	在 100 倍镜下检查，寻找呈典型晃动的毛滴虫。 在 400 倍镜下检查，寻找酵母菌和毛滴虫 要使在湿片上识别酵母菌更为容易，可将标本溶于一滴生理盐水，并加入一滴 10%氢氧化钾溶液溶解掉其他细胞
注意	寻找其他阴道或宫颈感染的证据——多重感染很常见

阴道涂片革兰染色显微镜检

样本采集	做湿片的同时，在另一张玻片上滚动棉签，可制备革兰染色的切片
制备涂片	1．加热固定 2．结晶紫染色（60 秒），冲洗 3．碘染色（60 秒），冲洗 4．乙醇丙酮脱色几秒钟（至冲洗液澄清） 5．番红精染色（60 秒），冲洗 6．轻轻印干水分，油镜下（1000 倍）观察
观察	1．正常时仅应存在乳酸杆菌 2．混合菌群，主要是乳酸杆菌，混有少量短杆菌（球杆菌）——可认为正常 3．存在线索细胞；混合菌群，主要是加德纳样菌和厌氧菌，混有少量乳酸杆菌——进行 BV 治疗 4．存在线索细胞；混合菌群，主要是革兰阳性，革兰阴性和革兰不稳定性棒状杆菌；无乳酸杆菌——进行 BV 治疗
注意	寻找其他阴道或宫颈感染的证据——多重感染很常见

应用革兰染色法诊断宫颈感染

1. 在宫颈感染的诊断中不推荐使用革兰染色法。即使接受过良好训练的技术员，运用该法检验女性淋病奈瑟球菌和沙眼衣原体感染的效果也不佳。

2. 使用该法的总成本(包括显微镜保养费用)超过提高服务质量的收益。

附件四　药 物 治 疗

内容

- 孕期药物治疗
- 淋病的抗生素治疗

孕期药物治疗[①]

在孕期，母亲与胎儿成为一个生物复合体，胎儿的健康取决于母亲的健康。一方面在母亲需要治疗时要给予必要的治疗，另一方面也要最大限度地保护胎儿不受到伤害。

孕期的任何阶段，药物都可能对胎儿造成伤害。在妊娠前三个月，使用药物可引起胎儿先天畸形(药物致畸性)，最大的威胁就在妊娠的前三周至十一周。没有几种药物对人类一定致畸，但毫无疑问的是，在妊娠早期使用任何药物都不安全。

只有在权衡后认为对孕妇的益处大于对胎儿的危险时，方可为孕妇开方用药，如果可能，在妊娠的前三个月应该避免使用任何药物。与新药、实验用药相比，孕期用药应倾向于使用已被广泛证实可安全应用于孕期的药物，并且在剂量上应使用最小有效剂量。下表中是一些孕期常用药的使用信息。若某种药物未在表中列出不代表该药安全。

孕期使用药物的安全性

阿昔洛韦	经验有限——仅当利可能大于弊时使用；局部使用吸收有限
阿莫西林	无证据证明有致畸性
阿莫西林+克拉维酸	无证据证明有致畸性
安苄青霉素	无证据证明有害
苄星青霉素	无证据证明有害
青霉素	无证据证明有害
头孢他定	无证据证明有害

① 《世界卫生组织基本药物清单》(第十三版)，日内瓦，世界卫生组织，2003

续 表

头孢曲松	无证据证明有害
氯霉素	妊娠末三月：新生儿“灰婴”病征
环丙沙星	避免使用 ——动物实验有关节病形成；有其他更安全的替代药物
克林霉素	无证据证明有害
氯唑西林	无证据证明有害
多西环素	妊娠首三月：动物实验中对骨骼发育有影响 妊娠中三月、妊娠末三月：儿童牙齿变色；大剂量肠外使用时对母体有肝毒性
红霉素	无证据证明有害
氟康唑	妊娠首三月避免使用——据报道，长期大量使用可产生多种先天异常
庆大霉素	妊娠中三月、妊娠末三月：听觉或前庭神经损害；危险可能很小，但仅当利可能大于弊时使用（一旦使用，须监测血清庆大霉素浓度）
甲硝唑	避免大量使用（>1g）
美满霉素	妊娠首三月：动物实验中对骨骼发育有影响 妊娠中三月、妊娠末三月：儿童牙齿变色；大剂量肠外使用时对母体有肝毒性
萘啶酸	避免使用－动物实验有关节病形成；有其他更安全的供选药物
制霉菌素	无任何信息，但胃肠道吸收可忽略不计
氧氟沙星	避免使用－动物实验有关节病形成；有其他更安全的替代药物
鬼臼树脂	避免使用－有报道可致新生儿死亡和畸胎形成
链霉素	妊娠中三月、妊娠末三月：听觉或前庭神经损害；除非必须使用，一般不用（一旦使用，须监测血清链霉素浓度）
磺胺嘧啶	妊娠末三月：新生儿溶血和高铁血红蛋白血症；未发现有增加新生儿核黄疸的危险
磺胺异恶唑＋甲氧苄啶	妊娠首三月：理论上有致畸危险（甲氧苄啶是一种叶酸拮抗剂） 妊娠末三月：新生儿溶血和高铁血红蛋白血症；未发现有增加新生儿核黄疸的危险
柳氮磺胺吡啶	妊娠末三月：理论上有致新生儿溶血的危险，孕母须补充足够的叶酸盐
四环素	妊娠首三月：动物实验中对骨骼发育有影响 妊娠中三月、妊娠末三月：儿童牙齿变色；大剂量肠外使用时对母体有肝毒性
甲氧苄啶	妊娠首三月：理论上有致畸危险（甲氧苄啶是一种叶酸拮抗剂）
万古霉素	仅当利可能大于弊时使用（一旦使用，为减少对胎儿的毒性，须监测血清万古霉素浓度）
叠氮胸苷和 其他抗病毒制剂	若可能，妊娠首三月避免使用；仅在妊娠中三月、妊娠末三月利大于弊时使用

淋病的抗生素疗法

泌尿生殖道和直肠淋病的 WHO 推荐疗法			
	剂 量	孕期是否安全	耐药性
头孢克肟	单剂口服 400 mg	是	无
头孢曲松	肌注 125 mg	是	无
环丙沙星	单剂口服 500 mg	否	WHO 东南亚和西太平洋地区广泛存在喹诺酮耐药性
大观霉素	肌注 2 g	是	无
其他治疗泌尿生殖道和直肠淋病的有效疗法			
头孢噻肟	肌注 1 g	是	无
头孢唑肟	肌注 1 g	是	无
头孢呋辛	肌注 1.5 g	是	无
左氧氟沙星[a]	单剂口服 250 mg	否	南亚和东南亚地区广泛存在喹诺酮耐药性
诺氟沙星[a]	单剂口服 400 mg	否	
氧氟沙星[a]	单剂口服 400 mg	否	
甲氧苄啶/磺胺异恶唑	每天单剂口服 80/400mg，10 片，服 3 天。	否	很多地区都有耐药性

a 在有些地方，如 WHO 东南亚和西太平洋地区使用喹诺酮时须考虑淋病奈瑟球菌的耐药性

淋病治疗：已证明有 30 种治疗方案，包括 21 种抗菌药物对泌尿生殖道和直肠淋球菌感染高度有效。对咽部淋球菌高度有效的治疗方案很少。在治疗无并发症淋病的抗菌药物中，以下药物兼顾了疗效与安全：头孢曲松(125 mg)、头孢克肟(400 mg)、环丙沙星(500 mg)和氧氟沙星(400mg)。

附件五 STI/RTI参照表

STI/RTI	病原体	急性期表现	可能的并发症	对妊娠和新生儿的影响
STI				
淋病	淋病奈瑟球菌	女性：宫颈炎、尿道炎 男性：尿道炎	女性：盆腔炎、不育、异位妊娠、慢性盆腔疼痛 男性：附睾炎、前列腺炎、尿道狭窄 男女均可患：播散性淋球菌感染、关节炎、心内膜炎、脑膜炎	妊娠：自然流产、产后子宫内膜炎、胎膜早破、早产 新生儿：新生儿眼炎
衣原体感染	沙眼衣原体	女性：宫颈炎、尿道炎 男性：尿道炎	女性：盆腔炎、不育、异位妊娠、慢性盆腔疼痛 男性：附睾炎、前列腺炎、尿道狭窄	妊娠：早产 新生儿：低出生体重、结膜炎、肺炎、耳炎
滴虫病	阴道毛滴虫	女性：阴道炎 男性：尿道炎	女性：不明 男性：前列腺炎、尿道狭窄，可出现不育	妊娠：胎膜早破、早产、剖宫产后子宫内膜炎 新生儿：阴道感染
梅毒	梅毒螺旋体	男女均可患：无痛性口腔和肛门生殖器溃疡、二期（扩散）梅毒、皮疹、不适、头痛、肌痛、体重减轻、低热	男女均可患：三期（晚期）梅毒引起的神经、心血管和其他系统并发症Ⅰ	妊娠：自然流产、产后子宫内膜炎、胎膜早破、早产 新生儿：先天性感染
软下疳	杜克雷嗜血杆菌	男女均可患：生殖器溃疡（常为疼痛性）、疼痛性腹股沟淋巴结炎	女性：直肠阴道瘘、腹股沟脓肿 男性：腹股沟脓肿	不明
性病性淋巴肉芽肿（LGV）	沙眼衣原体	男女均可患：小而无痛性生殖器溃疡、非特异性尿道炎、急性腹股沟淋巴结炎 女性：宫颈炎	男女均可患：瘘、直肠狭窄、生殖器象皮肿	不明

续 表

STI/RTI	病原体	急性期表现	可能的并发症	对妊娠和新生儿的影响
STI				
杜诺凡病	肉芽肿克雷白杆菌	男女均可患：生殖器溃疡（女性可能有宫颈病变）	男女均可患：假性象皮肿、尿道、肛门或阴道狭窄（女）	不明
生殖器疱疹	单纯疱疹病毒（HSV）	男女均可患：多发性小水疱、溃疡、疼痛、瘙痒、排尿困难	男女均可患：无菌性脑膜炎、横断性脊髓炎、播散性感染	妊娠：播散性感染（特别是在妊娠首三月患病）、自然流产、早产 新生儿：新生儿疱疹、脑炎、播散性感染，皮肤、眼与口腔感染
生殖器疣/宫颈病变	人乳头瘤病毒（HPV）	男女均可患：生殖器疣与肛门疣 女性：宫颈鳞状上皮病变	女性：宫颈癌、阴道和外阴癌、直肠癌 男性：阴茎和直肠癌	妊娠：不明 新生儿：喉乳头状瘤病
乙肝	乙肝病毒（HBV）	男女均可患：急性肝炎	男女均可患：慢性肝炎、肝硬化、肝癌	妊娠：不明 新生儿：围生期乙型肝炎
HIV/AIDS	人类免疫缺陷病毒（HIV）	男女均可患：头痛、肌痛、咽喉痛、发热、淋巴结肿大	男女均可患：AIDS	妊娠：AIDS病程可能加速 新生儿：HIV围生期传播
女性非STI的RTI				
细菌性阴道病	阴道加德纳菌、厌氧菌、生殖器支原体、链球菌	阴道炎	盆腔炎危险性增加（流产后）	妊娠：早产、胎膜早破、绒毛膜羊膜炎、产后子宫内膜炎 新生儿：低出生体重
外阴阴道念珠菌病	白色念珠球菌	阴道炎	不明	妊娠：念珠菌易感性增加 新生儿：新生儿鹅口疮

附件六 其他资料与推荐读物

1. Adolescent friendly health services: an agenda for change. Geneva, World Health Organization, 2002.
2. Burns A et al. Where women have no doctor. Berkeley, CA, USA, Hesperian Foundation, 1997.
3. Cervical cancer screening programmes. Managerial guidelines. Geneva, World Health Organization, 1992.
4. Clinical guides for the management of pregnant women with HIV infection. Geneva, World Health Organization, 2004.
5. Clinical management of survivors of rape: a guide to the development of protocols for use in refugee and internally displaced person situations. Geneva, World Health Organization, 2001.
6. Comprehensive reproductive health and family planning training curriculum. Reproductive health training module 12: prevention and management of reproductive tract infections. Watertown, MA, USA, Pathfinder International, 2000.
7. Dallabetta G, Laga M, Lamptey P, eds. Control of sexually transmitted diseases: a handbook for the design and management of programs. Research Triangle Park, NC,
8. USA, AIDSCAP, Family Health International, 1996. Evaluation of the 100% condom programme in Thailand. Geneva, Joint United Nations Programme on HIV/AIDS, 2000.
9. Global prevalence and incidence of selected curable sexually transmitted diseases: overview and estimates. Geneva, World Health Organization, 2001.
10. Guidelines for the management of sexually transmitted infections. Geneva, World Health Organization, 2003.
11. Managing complications in pregnancy and childbirth: a guide for midwives and doctors. Geneva, World Health Organization, 2000.
12. Medical eligibility criteria for contraceptive use Third edition. Geneva, World Health Organization, 2004.
13. Pregnancy, childbirth, postpartum and newborn care: a guide for essential practice. Geneva, World Health Organization, 2003.
14. Protocols for the medical management of persons who experienced sexual violence. Geneva, World Health Organization, 2003.
15. Scaling up antiretroviral therapy in resource - limited settings: guidelines for a public health approach. Geneva, World Health Organization, 2002.
16. Selected practice recommendations for contraceptive use. Second edition. Geneva, World Health Organization, 2004.
17. The decision - making tool for family planning clients and providers. Geneva, World Health Organization(in press).
18. Van Dyck E, Meheus ZA, Piot P. Laboratory diagnosis of sexually transmitted diseases. Geneva, World Health Organization, 1999.
19. Women' s health exchange, Issue No 10. Berkeley, CA, USA, Hesperian Foundation, 2002.
20. World report on violence and health. Geneva, World Health Organization, 2002.

词汇表①

附件(adnexae)：卵巢、输卵管与支持组织的统称。

实施步骤(algorithm)：在完成某一指定目标时应采用的一系列逻辑步骤。

生育计划(birth plan)：将夫妇的个人意愿、特殊环境以及可能的并发症或紧急情况均考虑在内，为生育所制定的计划。

线索细胞(clue cells)：表面有细菌覆盖的阴道细胞，普遍存在于患有阴道感染的女性。

有合并症流产(complicated abortion)：出现感染或出血等并发症的自然流产或人工流产。

奶酪样阴道分泌物(curd - like vaginal discharge)：像奶酪样白色的阴道分泌物，常见于酵母菌感染。

扩宫刮宫术(dilatation and curettage)：可用于人流的一种技术。包括扩张宫颈，并刮除经宫颈妊娠产物。

干阴道性交(dry sex)：在女性阴道干燥的情况下进行的一种插入式性行为，有时还使用草药增加阴道的干燥程度。干阴道性交可增加包括HIV感染在内的STI的危险。

性交痛(dyspareunia)：性交时出现疼痛。

排尿困难(dysuria)：排尿困难或疼痛。

双法措施(dual method use)：使用一种屏障方法预防STI，同时使用另一种措施避孕。

双重保护(dual protection)：既预防STI/HIV又预防非意愿性妊娠。双重保护既可以仅通过正确持续使用安全套，也可以通过使用两种方法实现，但其中必须有一种方法为安全套。

双重危险(dual risk)：怀孕与STI/艾滋病双重危险。

异位妊娠(ectopic pregnancy)：受精卵在子宫外着床并在该处发育出胎盘和胚胎的妊娠。异位妊娠最常见的着床部位是在输卵管内。

附睾炎(epididymitis)：附睾炎症，偶并发于未治疗的尿道感染。

上皮形成(epithelialize)：以上皮组织覆盖(愈合)。

女性生殖道(female reproductive tract)：包括外阴、阴道、宫腔和输卵管(见下图)。

法医检验(forensic examination)：为其后的司法程序寻找证据的检查。应由接受过特殊训练的专业人员进行。

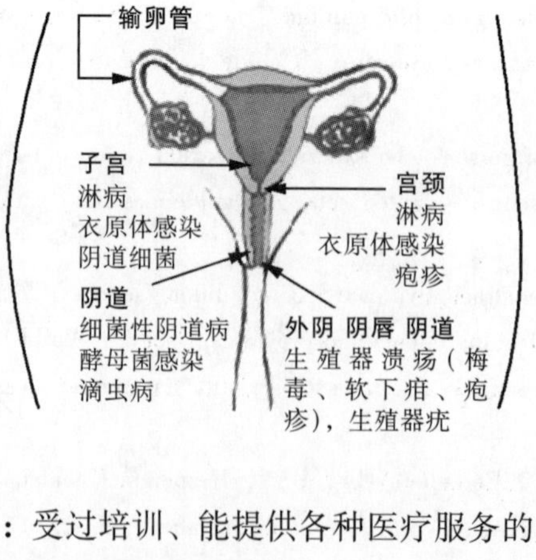

医务人员(health care provider)：受过培训、能提供各种医疗服务的人。

HIV自愿咨询与检测(HIV Voluntary counseling and testing，VCT)：HIV检测前咨询，HIV检测中以及检测后患者拿到检查结果时的咨询全过程。

① 此处定义只适用于本指南，在其他文献中不一定适用。

发病率(incidence rate)：在一段时期内，某一疾病在一特定人群的新发病例数。

指示病例(index patient)：最早被诊断出患有某种感染的病人。

人工流产(induced abortion)：通过机械(外科)或药物手段在胚胎发育完全前有意中止妊娠。

不孕(infertility)：失去怀孕的能力。一般在无任何避孕措施的情况下，在十二个月有规律的性交后仍未受孕，可推测存在不孕。

寄生(infestation)：体虱等致病物在体表生长。

综合服务(integrated service)：在某一个医疗机构或在一次就诊中可获得的多种医疗服务，如计划生育与 STI 治疗。

综合(integration)：将其他服务结合到现有服务内容中。

恶露(lochia)：无臭但常带血的产后一两周阴道排出的分泌物。

下生殖道感染(lower genital tract infection)：包括阴道与宫颈感染。

人工负压吸引(manual vacuum aspiration，MVA)：使用一种特制的手持吸引器排空子宫内容物的技术。

医疗适用标准(medical eligibility citeria)：基于相对的健康风险和在特定条件下，对使用某一避孕技术益处的权衡，判断女性是否适合使用该避孕方法的标准。

挤(milking)：检查阴茎分泌物的方法。将一只手的手指放在阴囊后几厘米处，向前上方往阴茎根部挤压。

发病(morbidity)：疾病的状况。

母婴传播(mother - to - child transmission，MTCT)：在孕期、分娩或产后母乳喂养过程中，病毒从已经感染 HIV 的母亲传给婴儿的传染方式。

门诊病人(outpatient)：不住院接受治疗的病人。

非肠道治疗(parenteral therapy)：通过经肠道以外的其他途径进行的治疗，通常指静脉、肌注和皮下给药。

病原体(pathogen)：寄生于宿主、从宿主获取营养并可导致疾病的微生物。

流产后期(postabortion)：刚刚流产后的一段时间，通常不超过两周。

流产后护理(postabortion care)：用以处理流产并发症的治疗。其中的关键部分包括流产并发症的紧急治疗，计划生育咨询与服务，以及与综合的生殖健康服务的联系。

产后期(Postpartum)：分娩后的前六个星期。

首选方法(preferred method)：患者认为会使用的避孕方法。

分娩前胎膜破裂(prelabour rupture of membranes)：分娩开始之前胎膜破裂。①早产——胎儿不成熟<37 周；②足月——胎儿成熟>37 周。

假设治疗(presumptive treatment)：尚无患病证据时，假定某人已被感染，使用足量治疗药物(如抗生素)的治疗。

胎膜早破(preterm rupture of membrane)：孕期三十七周前胎膜破裂(妊娠足月前)。

患病率(prevalence rate)：在一段时期内或某一时间点，一种疾病在特定人群的总病例数。

原发性不育(primary infertility)：从未怀孕过的一对夫妇中发生的不育。

预防性治疗(prophylactic treatment)：常指对预防可能引起某种疾病的过程所进行的不完全剂量用药(相对于治疗剂量)。

预防(prophylaxis)：对一种疾病或可能引起某种疾病的过程的预防。

筛查(screening)：通常对无症状患者进行的检查，以发现某一疾病的体征。

继发性不育(secondary infertility)：曾经怀孕至少一次的夫妇中发生的不育。

脓毒血症(sepsis)：血液中出现致病微生物或其毒素。

序列一夫一妻(serial monogamy)：一个人先后有一系列序贯的性关系的情况，在这种情况下，他/她总体上存在多性伴，但在任何时间点上都只有一个性伴。

性暴力(sexual violence)：无论与被害人何种关系，在何地，不仅限于家中和工作场所，通过胁迫、威胁或者使用暴力施行的任何性行为、性行为意图、恶意的性言词或举动，或者出卖女性性行为。

体征(signs)：在对病人进行检查时，由医务人员发现的可表明患病的证据。

自然流产(spontaneous abortion)：非人为引导而出现的流产；

棉拭子(swab)：在头上缠上一团棉花或纱布的小棍或夹子，用来涂抹药物或采集生物标本。

症状(symptom)：病人感知的表明患病的异常现象。

致畸性(teratogenicity)：可引起发育中的胚胎出现畸形的能力；很多药物都可能有此副作用。

经宫颈手术操作(transcervical procedure)：任何需要将器械或装置通过宫颈送入子宫的操作(如宫内节育器安置、人工负压吸引、子宫内膜活检等)。

传播(transmission)：致病微生物从一人传给另一人。

上生殖道感染(upper genital tract infection)：包括子宫内膜、输卵管、子宫及周围组织的感染。